D1592824

DIARIO DE UN ILEGAL

Rachid Nini

Rachid Nini

DIARIO DE UN ILEGAL

Traducido del árabe por
Gonzalo Fernández Parrilla y
Malika Embarek López

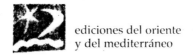

ediciones del oriente
y del mediterráneo

Título original:

يوميات مهاجر سري

Manshurat Wizarat al-Shuún al-Zaqafiyya, 1999
© Rachid Nini
© de esta edición:
ediciones del oriente y del mediterráneo, 2002
Prado Luis, 11
E-28440 Guadarrama (Madrid)
Facsímil: 34 918548352
Correo electrónico: sicamor@teleline.es
www.webdoce.com/orienteymediterraneo

© de la traducción:
Gonzalo Fernández Parrilla y Malika Embarek López

© de la fotografía de la cubierta:
Fernando García Arévalo

Composición de la cubierta:
ediciones del oriente y del mediterráneo, a partir de una fotografía
cedida gentilmente para esta edición por Fernando García Arévalo.

Esta obra ha sido traducida y publicada en el marco del programa
de traducción *Literatura y pensamiento marroquíes contemporáneos*
de la Escuela de Traductores de Toledo (Universidad de Castilla-
La Mancha), que cuenta con el apoyo de la Agencia Española de
Cooperación Internacional, el Patronato Universitario de Toledo y
la Fundación Europea de la Cultura.

ISBN: 84-87198-81-3
Depósito Legal: SE-2211-2002
Impreso en España por Publicaciones Digitales, S. A.
www.publidisa.com - (+34) 95.458.34.25.

Rachid Nini nació en Benslimán (Marruecos) en 1970. Es licenciado en Filosofía y Letras y ha trabajado de periodista para diversos diarios marroquíes y árabes. A finales de los años noventa, estuvo viviendo en el Levante español de inmigrante irregular. Ha publicado el diván *Poemas fracasados sobre el amor*. En la actualidad trabaja de redactor en la sección de cultura de la cadena de televisión marroquí 2M.

Ocupación arabe 1011 – 1492

NOTA TRADUCTORES

Esta traducción está basada en la primera edición de la obra (1999), publicada por el Ministerio de Cultura de Marruecos. El capítulo 14 de la presente traducción ha sido añadido por el autor, quien ha modificado también algunos fragmentos, que se recogerán en la segunda edición, cuya publicación está prevista en 2002 por la editorial marroquí Ijwán saliki.

Quisiéramos expresar nuestro agradecimiento a aquellas personas que nos han ayudado con cuestiones de documentación o han tenido la paciencia de leer borradores de esta traducción en distintos momentos del proceso. Sus sugerencias han servido siempre para mejorarla. El propio autor, Rachid Nini, también nos ayudó a aclarar algunas dudas. Nuestro agradecimiento a Antolín Avezuela, Bárbara Azaola, Ana Planet, Miguel Larramendi, Waleed Saleh, Paz Santa Cecilia, Luis Miguel Cañada y muy, muy especialmente a Mariluz Comendador.

1

Ayer en la televisión una patera se estrellaba contra la costa rocosa. Los siete cadáveres yacían como barcos varados. Estaba comiendo cuando las imágenes pasaron ante mí. De repente sentí que me atragantaba. Alguien arrastraba los cuerpos hacia la playa y los cubría con lonas. Los cadáveres estaban mojados, ordenados uno al lado del otro.

Hoy repitieron las imágenes, y también las reprodujeron algunos periódicos. ¡Qué horror! La locutora de televisión opina que el gobierno está dormido, y yo no sé muy bien qué hago aquí.

Ayer marqué el número de teléfono de Buchra. No reconoció mi voz. Me preguntó por qué no la había vuelto a llamar. La muy cabrona. Le dije que me había ido de Marruecos, que andaba por Europa. Me preguntó que cuándo volvería. Le dije que me había establecido en España. Me dijo que mejor. Mucho mejor. Le dije que no sabía por qué había marcado su número y la había llamado. Que tal vez necesitaba escuchar una voz conocida. Dijo que España era maravillosa. Le dije que sí, que maravillosa, y que por eso mismo los árabes no soportaron su belleza y se marcharon todos. ¡Y mira tú por dónde ahora se han arrepentido y regresan! Uno a uno. Ahogados, la mayoría de las veces. Se rió y me dijo que le enviase una tableta de chocolate. La muy cabrona.

Ahora somos cuatro en la casa. Ha venido otro argelino y se ha traído a Miguel. Fue sentarse Miguel y ponerse a hablar de Argentina. Contó que, poco después de nacer en el País Vasco, emigró con su padre y su madre a Buenos Aires, donde pasó treinta años. Con el hambre, los españoles huían hacia cualquier país en el que hubiera comida. Era como si Franco se la zampara toda él solo. Miguel hablaba de personas que habían desaparecido en los ochenta a raíz de acontecimientos que, por mi español, tan sólo podía entrever que habían sido dolorosos. La sonrisa de Miguel es tímida. Tiene los dientes apiñados, por lo que aprieta los labios al sonreír. Que las personas desaparezcan es sintomático de que algo —que no suele ser bueno— ha ocurrido. La gente desaparece en todos los países del mundo. A veces los sucesos se tornan dramáticos cuando un régimen o simplemente una persona imponen el arresto y castigo de ciudadanos inocentes o quizá su desaparición por distintos medios. Pensaba todas estas cosas pero no las verbalicé delante de Miguel. No sé por qué fui tan reservado con mis opiniones. Por la noche, con la cabeza recostada en la almohada, me decía a mí mismo que eran opiniones triviales que era mejor no expresar. ¡Qué me importaba a mí si la gente desaparecía! Miguel repetía que en Argentina los judíos están metidos en todo. Me preguntó si de verdad eran hijos de Dios. Le dije que todo lo que sabía de los judíos era que se dejaban crecer largos tirabuzones y que iban de negro. Y que tenían narices ganchudas como la mía, pero que lo que estaba claro es que Dios no tiene hijos. No entendió Miguel lo que le dije, así que sonrió con esa tímida sonrisa que ocultaba sus dientes descolocados. Es verdad, lo de tener los dientes feos te condiciona hasta el punto de no sonreír delante de los demás. Incluso evitas hablar con ellos. Lo que provoca una especie de aislamiento que algunos pueden interpretar como ambigüedad. En realidad se trata tan sólo de dientes desordenados.

En el campo hay tantas montañas que no sé por dónde sale el sol. Los cuatro puntos cardinales se pierden en medio de todas esas elevaciones. En las cimas de algunas colinas se ven antiguas fortalezas derruidas. Señalándolas le digo a Merche: mira, ahí vivíamos antiguamente. Merche no comprende por qué teníamos que subir a la cima de la montaña para encontrar un lugar donde vivir. Construíamos esas fortalezas en lo más alto para poder vigilaros, porque vosotros vivíais en los llanos, le dije. Merche no sabía nada de historia. Le gustaba más el chocolate que contemplar las fortalezas derruidas. Los naranjales se diferencian unos de otros por el tamaño y la altura de sus árboles. Hay árboles altos y grandes que te obligan a trepar como un mono. Áhmed, el argelino flaco, dice que son como grandes edificios. Y hay árboles estupendos cuyos frutos se pueden recolectar sin moverse uno del sitio. Suele ocurrir que alguno de nosotros pierda los nervios y empiece a hablar a los árboles en voz alta, insultándolos. Cuando te enfadas puedes imaginar que son una persona en concreto y, si quieres, hablarles con agresividad. Los árboles frondosos son siempre molestos porque las naranjas están en las copas y, a menudo, dispersas. Al terminarlos te das cuenta de que has perdido mucho tiempo y has tragado mucho polvo y productos químicos. Más tarde notas que has estado demasiado expuesto al sol. El sudor brota, y la cara se te convierte en una superficie cubierta de espesas capas de barro. Acabé teniendo una extraña relación con los árboles. Los campos fáciles y ordenados permanecen prendidos en mi memoria. Amablemente prendidos. Pero el recuerdo de los campos desordenados y difíciles está siempre asociado a una maldición. Podías insultar a los árboles siempre que quisieras. Que a ellos les daba igual.

Cuando trepo a un naranjo me acuerdo de todas las veces que he subido a un escenario y he cogido un micrófono para recitar poemas, y me doy cuenta de que la vida presenta dosis infinitas de ironía. Mis amigos poetas hablan del cuerpo en sus poemas. Dicen que es una nueva moda. Poetas de cuerpos generalmente flacos y enfermizos. Cuerpo es amontonar quinientas cajas de naranjas en un tráiler. Cada hilera tiene siete cajas de altura. Sin tiempo para secarte la frente. Así exploras tu cuerpo a la perfección. A ver si os merecéis el uno al otro. Creo que mi cuerpo me merece, porque no me abandonó cuando lo necesitaba. No como los libros y los poemas, que a menudo te traicionan hasta la muerte.

De niño tuve una maleta de cuero cuadrada. Una maleta pequeña y antigua, de esas que tenían las aristas duras, como las que aparecen en la película *El ogro* de Volker Schlondorff. Cada mañana la abría y sacaba los libros viejos. Los limpiaba bien, limpiaba las cubiertas y luego volvía a ordenarlos en su interior. No eran libros importantes. Sólo libros que había encontrado en la tienda del abuelo. Libros de física, de lectura, cuadernos de cuentas. Me gustaba ordenarlos en el interior de la maleta. Cada día de un modo distinto. Guardaba la maleta debajo de mi cama. Mientras dormía soñaba con bibliotecas enormes. Soñaba que volaba por sus salas. A veces sueño que camino sobre el agua, y que no me hundo, como San Pedro, como si el agua fuese una cama inmensa y yo me echara sobre ella y saltase. Cuando me atacaban las serpientes, abría los brazos y levantaba el vuelo como una cigüeña. Mi madre decía que las serpientes en los sueños son los enemigos, y los perros, los envidiosos. Los perros también me atacaban. Perros negros y feroces.

Un día, como necesitaba dinero, pensé en vender mis libros. Me llevé la maleta al zoco y puse los libros en el suelo. Al final de la jornada no había vendido ni uno. Devolví los libros a la maleta y la puse de nuevo debajo de la cama.

Desde ese día no volví a abrirla para limpiar los libros. Necesité dinero y pensé que mis libros podrían haber hecho algo por mí. Pero desgraciadamente me traicionaron. Por eso los abandoné, como ellos me habían abandonado a mí. Los dejé debajo de la cama. Desde aquel instante su destino ya no me concernía.

De mayor pude vender mis libros siempre que necesité dinero. De hecho, guardaba algunos con este preciso fin. No puedo desear un libro sin pensar en venderlo. Es más, me deshago de los libros que me decepcionan.

Merche no trepa a los árboles, no porque no pueda, sino porque no se lo permitimos. La verdad es que no lo hacemos por su bien, sino por nuestro salario semanal. Si se cayera al suelo, nos pondrían de patitas en la calle. Eso le hacía mucha gracia. O tal vez le convenía. No sé. De vez en cuando se tiraba al suelo jurando que no podía coger ni una naranja más. «Si viene Paco, despertadme», decía alarmada.

Merche le tenía mucho miedo a Paco. Más de una vez le dije que Paco no era un dios, como para tenerle tanto miedo. Decía que lo sabía, pero que él le garantizaba el trabajo durante todo el año. Me di cuenta de que siempre tenía miedo de todo, de Paco, de los gitanos, del tiempo, de las ratas. Y de nosotros también. Una vez nos contó que a veces se imaginaba que la matábamos, le robábamos el coche y luego desaparecíamos. «Los moros son capaces de cualquier cosa», decía riendo. Aquel día la miré detenidamente mientras regresábamos del campo. La encontré alerta. Siempre estaba así. Mirando de reojo como alguien que predice que algo malo y repentino va a ocurrir. Le dije que no la mataríamos porque no necesitábamos su coche. «Era una broma», dijo. En el campo se da media vuelta y enciende un cigarro. Su afición al tabaco es increíble. Su tos matutina mientras coge el mechero me hace desviar la mirada hacia la ventanilla, hacia los campos y las montañas. Donde las nubes se juntan en el cielo como grandes manos. «Te morirás por culpa del tabaco, Merche», le digo. «Sí, me moriré por culpa del tabaco», responde.

Christian, el italiano, es el único al que parece agradarle la naturaleza. Después de liarse un canuto y fumárselo, se pone a hablar del fin del mundo. Es su tema preferido. Cuenta que hace mucho tiempo viajó a Marruecos y pasó allí tres semanas, fumándose lo que no había fumado en toda su vida. Le pregunté por las ciudades que había visitado y me dijo que no había salido de Ketama. Le dije que Ketama era sólo una zona del Rif. Me dijo que para él Ketama era Marruecos. A Christian le gusta encargarse de encender la lumbre. Siempre trae filetes para comer. Al soplar el fuego, se recoge el pelo rubio con un pañuelo para no quemárselo. Le gusta mucho su pelo. Por eso mueve continuamente la cabeza, para apartarse los rizos rubios de los ojos cuando habla. Pero es un tramposo. En el trabajo pocas veces utiliza las tijeras de podar. Arranca las naranjas con fuerza. Lo que enojaba a Paco. Por su culpa recibimos más de una amenaza de despido. Pero Merche lo encubre y le dice a Paco que las cajas de naranjas estropeadas no son nuestras, sino de los gitanos. Los gitanos trabajan a veces con nosotros para Paco. Si los árboles son altos, dejan la mitad superior sin hacer. Si no les gusta un campo, se van al bar. No sé por qué nos llaman «primos». Las gitanas que he visto hasta ahora no son como las de los poemas que leí en la universidad. Gordas hasta la náusea, más bien parecen refugiadas. Paco no puede llamarles la atención porque vienen a trabajar en grupos grandes. Los gitanos sólo tienen miedo a una cosa: a los árabes.

Merche
bebe whisky
vodka porras

el chivo exculpatorio = scape goat

2

Cuando se emborrachaba, Christian decía que
la vida era maravillosa. Lo repetía varias veces. Isidro no le respondía. Aunque se quedaba mirándo-
lo como si lo viera por primera vez. Llevaban bebiendo desde las cinco de la tarde. Llegó José y se
juntó con ellos. No tienen nada en común, sólo
comparten el cansancio de toda la semana en los
naranjales. Comparten el precio de este cansancio
cada viernes por la tarde. Merche sabe que se beben
hasta el último duro que llevan en el bolsillo. Por
eso, cada viernes por la tarde, al terminar el trabajo, los lleva al bar de su marido a esperar a Paco.
Cuando éste llega entrega a Merche nuestras pagas
e invita a una ronda. Al verme sentado al lado de
Áhmed, el argelino, le susurró a Merche que le gustaba mucho cómo trabajan los moros porque desde niños están acostumbrados a la vida dura. Al
final Áhmed y yo volvimos a casa de Jáled. Él nos
dejó las llaves y desapareció. Decía que últimamente lo seguía la policía. Que tenía miedo. «Me iré a
Italia, a casa de unos amigos o volveré un tiempo a
Marruecos», decía afectado. Por la noche descol-

gábamos las gruesas cortinas que cubrían las venta-
nas y nos tapábamos con ellas. En la casa no había
más que las camas sin ropa. El viento aullaba en el
exterior como una loba hambrienta. No dormí en
toda la noche. Tenía miedo de que vinieran los
gitanos buscando a Jáled, que había salido huyendo después de haber vendido una buena cantidad de
hachís. Se llevó todo el dinero sin repartirlo con sus
socios. Los gitanos no perdonan un comportamiento así. No sé cómo saldrá Jáled de ésta. Por la
mañana, a las seis, salimos de casa y nos vamos al
trabajo.

El padre de Merche es muy hablador. Nunca
cierra esa boca suya sin dientes. José tampoco tiene
dientes. Ni Christian. Antes de que nos lleve Merche en su coche grande, desayunamos en el bar de
Manolo. Una tasca miserable. Cada mañana Manolo pone un vídeo aburrido. Una mujer y un hombre desnudos follando. Cada mañana, de la misma
manera y con los mismos jadeos. Manolo cree que
así mantiene a sus clientes matutinos. Merche no
se siente incómoda delante de su padre. Al contrario, se bebe su café con güisqui y fuma. Su voz se
panting mezcla con el jadeo de la mujer desnuda del vídeo.
Cuando llegan todos los hombres, subimos al coche
y salimos hacia el campo.

Creo que lo que Paco quiso decir es que le gusta cómo trabajan los moros porque aceptan jorna-
das de muchas horas sin exigencias y a precios ri-
dículos. Pero prefirió ser educado y decir que los
moros le gustan porque desde niños están acos-

tumbrados a la vida dura. Aunque no precisó qué quería decir con dura.

Macarena no sabe que soy un inmigrante sin papeles. Todo lo que sabe es que vine aquí a seguir estudiando. Es todo lo que sabe. Al menos, es lo que yo quería que ella supiera. Sólo un estudiante. Le conté que necesitaba encontrar un trabajo y me dijo sonriendo que perdería el tiempo trabajando y me olvidaría de los estudios. «Yo trabajo, y tú estudias y escribes», añadió.

Esta mañana una niebla espesa se abatía sobre los campos. Las naranjas estaban cubiertas de escarcha que hacía imposible cortarlas sin quedarse helado. Los hombres lo saben muy bien y por eso prefieren jugar a las cartas en el bar de Merche, esperando a que salga el sol. Sólo con el calor se puede trabajar. Anoche Christian se rompió un dedo del pie no sabe cómo. También perdió las tijeras. Las tijeras me machacaron en mi primer día de trabajo. Jamás había manejado unas tijeras de podar. Había manejado libros insignificantes o apuntes que, ahora, desde la copa de estos árboles, me parecen detestables. Áhmed, el argelino, se hirió tres dedos. Cada vez que grita sé que ha errado el corte y se ha dado en la mano. La rapidez en el trabajo requiere pequeños sacrificios de este tipo. Áhmed es licenciado en químicas por la Universidad de Orán. No puede ir a ver a sus padres porque no tiene papeles. Durante cinco años no ha pensado ni una sola vez en volver a Argelia. Dice que si regresa, se encontrará un coche de policía esperándolo en el aeropuerto. Lo aguardan veinticuatro meses de servicio militar. Según él, el ejército es una gran estupidez. Dice que no le gustan las armas y que no quiere aprender a disparar. Que está en su derecho. No se cansa de repetir la historia de Yamal, el argelino del pelo largo. Cuando la abuela de Yamal murió, él acompañó su cuerpo hasta Orán para que fuese enterrada allí. La enterraron, y Yamal se alistó en el ejército para cumplir con el servicio militar, como era su obligación. Yamal contaba que no era tal servicio militar. Que de lo que se trataba era de buscar a los del Frente Islámico de Salvación por las montañas. Nunca olvidará el día en que arrojaron a un hombre desde un helicóptero Apache por pertenecer a dicha organización. «El hombre recitaba: "No hay más dios que Dios y Mahoma es su Profeta". Y mientras él recitaba la profesión de fe, nosotros gritamos *hale-hop* y lo lanzamos al vacío. Cuando lo arrojamos, nos miramos unos a otros y no pudimos contener las lágrimas». Yamal aseguraba que no hacían más que obedecer órdenes. El régimen considera que la solución es perseguir sin tregua a los elementos armados y matar hasta el último de ellos. Por eso Áhmed odia el ejército. Él dice que no tiene problemas ni con el FIS, ni con la Yihad Islámica ni con el régimen. Simplemente no quiere matar a nadie.

Macarena no sabe que me he ido a Oliva para trabajar. Todo lo que sabe es que estoy en Alicante. En la universidad, para ser más preciso. Le dije que me quedaría en casa de un amigo. Que aprovecharía para ver a algunos profesores, asistir a algunas clases, que compraría algunos libros y regresaría. Aquella tarde en el bar Harley Davidson, donde las enormes motos se alineaban en la puerta como bestias metálicas, Macarena me miró. Sin dejar de sonreír me dijo que todo lo que le había contado era mentira. No me pude controlar y me reí. No sé por qué me reí. Le dije que a veces la mentira es un ingrediente necesario, sin el cual la vida sería una comida insípida. Me dijo que a pesar de todo quería compartir la comida conmigo. Que le gustaría que viviésemos los tres juntos. Ella, yo y la perra Ethel, que ladra cuando me ve. Le dije que no soportaría vivir en una casa con animales.

Así empezamos a frecuentar el Café Americano. Aunque no era éste su verdadero nombre, decidimos llamarlo así por los retratos de pieles rojas colgados en las paredes, y por las viejas máquinas tragaperras de la entrada. También por las numerosas cornamentas que colgaban de las paredes. Además de por las abundantes pieles de vaca, blancas y negras, que tapizaban los mostradores. Me recordaban las vacas que pacían tranquilamente a lo largo del camino entre la frontera francesa y Bruselas. Vacas y más vacas, como los naranjos, que me parecen interminables en los campos. El primer día de trabajo regresé a casa muerto. Por la noche, al cerrar los ojos, veía naranjas. Y oía sin cesar el sonido de las tijeras. Pasó mucho tiempo hasta que me vino el sueño. Cuando me dormí, soñé también con naranjas. Y con cajas. Aunque no oía el sonido de las tijeras. Lo único que oí fue el sonido del despertador a las seis de la mañana.

Áhmed el argelino dice que me tiene envidia por ser marroquí. Le pido que me explique por qué, y me dice que los marroquíes no están obligados a hacer el servicio militar. Le digo que eso está muy bien, que no beneficia a nadie que los civiles aprendan a disparar.

Se me han puesto manos de campesino. Con pequeñas cicatrices y arrugas en las yemas de los dedos. Los tijeretazos se han convertido en algo normal. Apenas la mano se acostumbra a la dureza, se vuelve callosa. Lo mismo le ocurre al corazón. Le basta con romperse unas cuantas veces para encallecer. Y no latir por nadie. Siento que mi corazón está cerrado con pesados cerrojos. Nada puede llegar hasta él. Todas las cosas que había en su interior se han quedado ahí para siempre. En aguas estancadas.

Todos las historias de amor que leí de niño empezaban obligatoriamente por miradas intensas. En un libro leí que la mirada es una flecha envenenada. Cuando me alcanzaba una de esas flechas, no podía dormir.

En efecto, la flecha estaba envenenada. Pasarían muchos años hasta darme cuenta de que llevaba la flecha clavada en la espalda. Exactamente igual que cuelgan las banderillas del lomo del toro bravo en medio del ruedo. No sé. Cada vez que cortaba una naranja del árbol y se me caía al suelo, me acordaba de ella. Me acordaba de Buchra. A pesar de que sabía que las naranjas no se me escaparían, porque me agacharía y las cogería para echarlas a la caja, algo oculto se rompía en mi interior. Es como lo que se siente cuando se te cae una almendra en su camino hacia la boca. Aunque tengas muchas más almendras en el bolsillo, la caída de la almendra lo desbarata todo. Es verdaderamente triste. Las mujeres siempre tienen la excusa adecuada para dejar a los hombres. Uno puede ser un charlatán o un pesado o no tener cualidades. Buchra no tenía ninguna excusa, pero aun así, me dejó. Las banderillas clavadas en las carnes del toro se zarandean cada vez que el animal se mueve por la plaza. Cuanto más brama el toro mayor es su dolor.

Me dejó para casarse con otro, y sentí que la vida había terminado para mí. Fue como si hubiese llegado a un túnel oscuro y tuviera que entrar en él yo solo. Un túnel oscuro y estrecho como esos con los que sueñan los niños cuando no hacen pis antes de dormir. En la universidad habíamos coreado juntos consignas en protestas contra la subida del precio del café de la cantina, contra la escasez de libros en las estanterías de la biblioteca y contra otras tonterías. Buchra se ponía siempre a mi lado como una sencilla militante. Con su nariz, que parecía una cereza, y su fina sonrisa.

Una luchadora aficionada, al menos. En la universidad odiábamos a los comunistas porque hablaban sin parar en los corros. Y cuando llegaba la policía, eran los primeros que ponían pies en polvorosa. Cuando volvía la calma, regresaban al corro diciendo que el combatiente debe ser el último en morir. Pensábamos que todos éramos combatientes. Por eso no comprendíamos por qué alguien tenía que morir primero.

A veces nos daba por ir a los tablones de anuncios y arrancar las fotos de Marx y Lenin. En un libro leí que Marx no era ni comunista ni ateo. Algunos estudiantes del partido eran amigos míos. Habíamos publicado poemas en los mismos periódicos. Así, por casualidad, habíamos compartido la sección de jóvenes escritores. Eso bastó para justificar una vaga amistad que duraría toda la etapa universitaria. Los comunistas que conocí eran todos poetas. Quiero decir que escribían poesía. Éste era el prototipo del militante en la universidad. Debía llevar vaqueros desgastados y dejarse una barba de varios días. Y parecer circunspecto todo el tiempo. Para completar la imagen, tenía que publicar un poema triste en el periódico del partido.

Mis amigos no sabían a qué facción estudiantil pertenecía yo. Por eso jamás me pidieron que me afiliase a sus organizaciones. En la universidad el comunismo era de risa. Como una tormenta en una taza. Incluso si Marx hubiera estado vivo, habría dicho que eso era inútil. La verdad es que no hay nada más miserable que la revolución.

Cuando los estudiantes comenzaron sus huelgas indefinidas, yo entré solo en el túnel oscuro y estrecho. Buchra me había dejado sin dar explicaciones. La biblioteca seguía abierta a pesar de la huelga. Empecé a ir allí solo. Devoré muchos libros durante la huelga. Los comunistas estaban contra esta iniciativa. Y yo estaba contra todo el mundo. Contra Marx. Contra la lucha. No recuerdo cómo acabó el curso.

3

Me gusta escuchar a Céline Dion. Su voz disipa sin piedad el silencio de la casa. Desde el balcón se ve brillar un mar en calma. Apenas hay olas. El Mediterráneo jamás pierde los nervios. Los discos se amontonan sobre el mueble como un ejército en la reserva. Céline Dion parece alegre en la foto del disco, como cualquier mujer recién llegada de la peluquería. Las mujeres siempre tienen necesidad de arreglarse el pelo. Macarena se lo tiñe de rubio. Dice que lo hace para ocultar las canas que le han salido antes de tiempo. Macarena no es como Suzane. Suzane es muy rubia, de andares rápidos, como los de alguien que llega tarde al trabajo. Suzane se reía mucho de mi francés y me decía que ella sólo entendía inglés. La invité a tomar un café. Pero me enseñó la mano y, sin dejar de reírse, me mostró un anillo cuyo metal no pude distinguir. Suzane sale siempre del hotel en el que trabaja con un cigarrillo en la boca. Me dijo que vivía con su compañero español desde hacía cinco años. Le dije que no importaba, que esperaría. Que no tenía muy buena suerte, pero que esperaría. Se rió abiertamente. Ayer la observé a través del cristal del hotel. Estaba en el restaurante sirviendo a unos viejos. El desayuno era asqueroso. Tenían que ser ingleses.

En compañía de Macarena me siento capaz de mirar los coches de policía. A veces lo hago en venganza por todos los momentos en los que no he sido capaz de hacerlo. Los momentos en los que estaba solo. Y probablemente alerta. Cuando eres un inmigrante ilegal, sin trabajo, sin dinero, te conviertes en un loro. Tienes que aprender muchas lenguas. En este continente los débiles se deshacen de sus lenguas maternas. Tienes que hablar la lengua de los fuertes. Es lo único que garantiza el pan.

Los españoles no hablan más que español. Pensé que eran celosos de su lengua. Incluso llegué a pensar que era una cuestión de orgullo. Aunque ahora creo que se debe a que no saben hablar otras lenguas. La mayoría de los jóvenes españoles prefieren empezar a trabajar cuanto antes en lugar de desgastarse los pantalones en los pupitres de las aulas. Macarena dice que es una mujer independiente. Que no necesita que ningún hombre la mantenga. Pero a veces se le olvida y me dice que me necesita. También tienes que soportar sus miradas indulgentes. Lo más grave de estas miradas es precisamente que sean indulgentes. Indulgentes hasta la agresividad. O la ignorancia. Abdelwahab dice que los españoles son racistas. No sé. Él es tan bajito y desaliñado que da la impresión de ser un ladrón peligroso. Por eso siente el peso de las miradas. Pero en realidad es tan sólo un macho domesticado. Sus servicios sexuales son totalmente gratuitos. Abdelwahab busca a sus presas en las discotecas del barrio inglés. A las tres de la mañana un inglés borracho abandona a su compañera también borracha. Cuando consigue la presa, se va con ella a la playa. A veces sale a ligar viejas por los bares. Suelen ir solas a beber. Sus parejas se han deshecho de ellas hace mucho tiempo. Abdelwahab les hace caso. De vez en cuando las convence para que le compren algo de la mercancía que vende a diario por bares y restaurantes. Relojes baratos. Muñecas que bailan la samba. Mecheros y cosas por el estilo. Se dedica a vender y beber cerveza. Abdelwahab vive en un Renault Trafic. Pero viene a casa a afeitarse y a lavar la ropa en la lavadora y nos cuenta un chiste antes de irse. Suele ponerse los pantalones aún húmedos. Para él no existe un país llamado Marruecos. Ni llama a su madre por teléfono. Su padre se lo trajo a España antes de la época del visado. Y lo abandonó a su suerte. Su padre también es un borracho. De día vende alfombras y de noche se gasta el dinero en los bares.

Las moscas no pueden vivir con los abejorros en medio del jardín. Así explica Abdelwahab la situación de los árabes aquí. A causa del asma, su risa se transforma en un silbido entrecortado que a menudo termina con una larga tos que hace que se le salten las lágrimas de sus ojos soñolientos. Evito sobre todo montar con él en ascensor. No sólo por lo mal que huele, sino también temiendo que se detenga el ascensor, suba alguien y pueda pensar que todos los marroquíes huelen así. Es un olor fétido hasta la náusea. Creo que la ropa que se pone sin haberse secado del todo es la causa de ese olor.

En el restaurante que hay en los bajos del edificio donde vivo quedan Juan y Manuel prácticamente todas las mañanas. Juan trabajaba de fotógrafo en un periódico. Manuel está en paro y se ha separado de su mujer. No sé por qué en cuanto Juan se bebe tres cervezas, me cuenta que fue a Marruecos en los sesenta. Y que la policía lo arrestó en Casablanca por llevar el pelo largo. Dice que creyeron que era comunista. Aunque la verdad, nunca lo había sido. Tan sólo se había dejado el pelo largo. Eso era todo. Así que volvió a España rapado. Y decidió no volver jamás a Marruecos. Me pregunta cómo es Marruecos ahora. Le digo que muy chungo. Dice que también España lo es. Juan piensa que el partido en el gobierno se aprovecha de la ignorancia de los españoles. O de sus buenas intenciones. Cree que Felipe González es un político con carisma de intelectual. Pero José María Aznar, no. Y que por eso se toca la nariz delante de la cámara y mueve las manos de forma extraña cuando sale en televisión. Manuel siempre parece preocupado, como si estuviera pensando en cosas más importantes. Tiene unos ojos muy vivos. Todas sus miradas son para las inglesas que llegan al restaurante. «Quienes mandan ahora en España son los hijos de Franco, sus hijos ricos, ¿verdad, Manuel?», pregunta Juan. «Quienes mandan ahora en España son las mujeres», responde Manuel con una sonrisa maliciosa. Manuel tiene unos labios muy finos. Macarena dice que en su casa la última palabra la tiene su madre. Pero se enfada cuando le digo que en España las mujeres están estupendamente.

Áhmed el argelino y yo acabamos dejando la casa de Jáled. Echamos las llaves por debajo de la puerta y alquilamos un piso en la primera planta de un edificio medio vacío. La dueña del piso es maestra en un colegio. Es muy charlatana. Nos invitó a su casa para redactar el contrato de alquiler. Más bien para firmarlo, porque ya estaba preparado. Su casa era amplia y fresca. Con muchas butacas, algunas desvencijadas. Cuando leyó mi nombre, me dijo que le recordaba al malo de Alí Babá y los cuarenta ladrones. Sonreí y le dije que yo no era así. Que lo único que me pasaba es que estaba perdido. Lo dije para mis adentros y escuché las palabras retumbar en mi interior como grandes piedras rodando por una pendiente. Áhmed el argelino le contó que estudiaba químicas y que estaba preparando la tesis en la Universidad de Valencia. Yo le dije que estudiaba periodismo. La dueña de la casa comentó que lo que hacíamos estaba muy bien. Le dijimos que sí, que no hay nada más maravilloso que ser estudiante. Naturalmente era mentira. Hay una gran diferencia entre venir en busca de conocimiento y venir buscando un trabajo modesto. Pero la dueña tenía que creer que éramos estudiantes, porque si no, no permitiría que viviéramos en su piso. Sin papeles sólo puedes vivir en tus zapatos. No encontrarás más alojamiento que ése. Eso está claro.

El piso que alquilamos parecía amplio. Las tres habitaciones dan a calles distintas. Y tiene sol durante todo el día, pero no he llegado a acostumbrarme a mi dormitorio. Ni tal vez a la casa. No me gustan los espacios amplios. Me siento desmembrado, desperdigado. De noche duermo vestido, con vaqueros, calcetines y sudadera. Como no había muchas mantas en la casa, nos trajimos las cortinas gruesas de la casa de Jáled y nos cubríamos con ellas. En la casa hay diez sillas. Seis alrededor de una mesa redonda y cuatro alrededor de una mesa cuadrada en la cocina. Pensé que la mesa cuadrada me serviría para escribir. En realidad nunca me he visto como escritor. Los escritores son personas terriblemente acomplejadas. Lo leí alguna vez, no recuerdo dónde. A la gente le gustan los escritores porque llevan gafas gruesas, y eso les hace parecer sensibles. Siempre pensé que sería pintor, pero mi problema con los retratos lo echó todo a perder. No se me da bien pintar la nariz. Por eso me pasé toda la infancia pintando casas y árboles. Las casas y los árboles no tienen nariz. Por la mañana temprano suele haber en la playa un hombre que hace figuras de arena. A veces hace un castillo con puertas enormes. Y otras un Cristo crucificado. Y al lado, un hombre borracho recostado sobre una silla. La gente se para a hacer fotos. Luego echan una moneda sobre la alfombrilla que hay delante de las figuras. El hombre borracho lo parece porque la mano que le cuelga por encima de la silla termina en una botella.

Tampoco me veía de intelectual. Tengo amigos que lo son. Nunca quise ser uno de ellos. En general, los intelectuales son unos hipócritas. Por una ridícula invitación para participar en un acto cultural, cambiarían de piel. Y si la invitación incluye estancia en un hotel llegarían a ofrecer el culo. Miserables. Se consideran imprescindibles para el mundo. Al menos las naranjas no necesitan intelectuales. Crecen por sí mismas. Christian, Isidro y Áhmed son para mí más importantes que todos los intelectuales. Porque cortan naranjas con las que llenan cajas en vez de llenar los periódicos de mentiras.

Me pareció que en el nuevo piso había más sillas que muebles. Tantas que estorbaban. La verdad es que no había más que sillas. Y pocos platos en la cocina. No había mantas en los dormitorios, ni almohadas ni sillones en el salón. Ni tan siquiera una alfombra. Lo más bonito de la casa era la ventana grande que daba a un cruce de cuatro calles. Calles pequeñas con los bordillos de las aceras pintados de color amarillo pálido. A través de la ventana veo a los clientes del bar de enfrente. El bar El Cordobés. Juegan a las cartas y beben cerveza todo el día.

4

Por segundo día consecutivo no hemos trabajado. A las siete hemos salido hacia los campos, tras
bebernos el pésimo café de Manolo, y hemos encontrado los árboles completamente mojados. El cielo
estaba cubierto de nubes. Al cabo de una hora o
algo así la lluvia caía a cántaros. En el bar de Merche los hombres jugaban a las cartas y bromeaban.
Merche comía chocolate con voracidad y veía la televisión. «Hoy no se ha ahogado nadie, parece que
las cosas están mejorando», decía riéndose. «Tran-
quila, mañana verás qué equivocada estabas». La
gente sigue aventurándose cada día. Por tierra firme y por mar. Por todas partes. Lo que me aterra
es ver un día en la televisión el cadáver de uno de
mis amigos flotando en el agua. Eso sería horrible.

Ayer en el camino de regreso, a través de los
montes, Merche me dijo que una amiga suya le había pedido una caja de naranjas para llevársela a su
padre que vive en Murcia. Paró el coche a la entrada de unos campos y robó tres cajas. Durante todo
el camino me estuvo hablando de su hija pequeña,
Sandra. Me contó que un vidente le había dicho

que su hija tenía poderes y que veía cosas. A través de la ventana yo sólo veía árboles. A pesar de todo, le dije que cuando su hija creciera sería vidente. Se echó a reír y dijo que eso estaría muy bien. Que al menos tendría asegurado el futuro. Se detuvo al pronunciar la palabra «futuro». Por un momento pensé en el mío. No veía nada. El futuro es un lugar sin luz. O mal iluminado. Por eso las cosas parecen borrosas. Poco fiables. Al menos ahora sé que mi futuro depende de las lluvias, de la niebla matinal, de la salida del sol, de los árboles o de Fernando, el chófer del camión, que viene con las cajas vacías y se va por la tarde con las cajas llenas de naranjas. Probablemente despejará y saldrá el sol. Fernando también tendrá que dejar de beber y marcharse del bar antes de las ocho.

Christian ha faltado unos días al trabajo. Cuando Merche lo trajo en el coche por la mañana, dijo que había ido al restaurante italiano donde trabajaba antes, pero que estaba cerrado hasta el verano. Se había puesto unos dientes postizos muy blancos. Ahora sonreía con más libertad, sin tener que apretar los labios. Fernando Pessoa. No sé por qué siempre que viene Fernando, el chófer del camión, me acuerdo de Fernando Pessoa. Y eso que no tienen nada que ver. Fernando es un chófer de camión y no lleva gafas pequeñas, como Pessoa. Además, Fernando es camionero y no escribe poesía. ¡Qué tontería!

El parte meteorológico dice que seguirá lloviendo. Dejé Oliva y me marché a Benidorm. Allí nadie trabajaba ese día. Había montones de sillas alineadas delante de los cafés y de las casas por donde pasaría el desfile. Las niñas llevaban vestidos con brocados increíbles. Las viejas, con la cara muy pintada, estaban sentadas en sillas en las aceras y en las terrazas de los cafés horas antes de que saliera el cortejo. De lejos llegaban sones de música marcial. Me quedé en medio de la multitud. Aunque soy alto, los ingleses de cuerpos enormes lo tapan todo. Las viejas españolas agarran bien los bolsos y sonríen. A los ingleses no les preocupan los extraños ni aunque les roben a sus mujeres. Su frialdad eterna es sorprendente.

Es una historia que se repite en las calles de esta ciudad cada año. Se llama *Moros y cristianos.* La historia va de un rey cruzado que llega con su ejército, se detiene ante la fortaleza de un rey árabe y, recitándole poemas, lo convence de que la abandone. El rey árabe sale de la fortaleza y regresa a su tierra allende los mares en compañía de sus ejércitos. Luego, el rey cruzado entra en la fortaleza. Y todo en verso. Por la noche, en la playa, hay duelos ficticios entre jinetes ataviados con ropas árabes y caballeros vestidos de cruzado. Cada noche vence un caballero de uno de los bandos. El último día de las fiestas vence el caballero cruzado, y el caballero árabe cae en la arena de la playa. El público aplaude un buen rato antes de que el caballero árabe resucite para saludar a todos. Y así es como le llega al caballero árabe la derrota que le tenían reservada para el último día del festejo. Esta manera de contar la historia a los extranjeros me pareció simpática. No se pretende recordar a las nuevas generaciones lo que ocurrió realmente cuando los árabes fueron expulsados de Alándalus. La Inquisición. Las matanzas. La expulsión colectiva. Todas estas cosas no sirven para atraer a los turistas. Todo lo contrario. Le imprimirían al festejo un tono dramático inapropiado. Lo mejor es que la fiesta transcurra así. La celebración de la expulsión de los árabes. De los moros. No hay mejor manera de contar con delicadeza esa expulsión. Todos los parlamentos están escritos en una poesía agradable que destila amor y paz. El desfile es increíble. Suenan tambores, chicos y chicas entonan canciones orientales, las bellas muchachas visten ropas árabes, haciendo de esclavas castellanas cautivas de los caballeros árabes. Éstos avanzan orgullosos, blandiendo sus destellantes espadas. Por un instante sentí vanidad. El caudillo de los moros era un jinete corpulento con barba de verdad. Pero tenía la cara pintada de negro. Los demás llevaban barbas postizas para parecer caballeros árabes.

El caudillo blandía su espada bífida y saludaba efusivamente a los espectadores. Me acordé de la espada de nuestro Señor Ali, el compañero del profeta, dibujado en una cartulina amarilla encima de la pizarra, cortando la cabeza del monstruo con su espada bífida. Montaba un caballo negro y llevaba casco. Los pasos del caudillo parecían más propios de un desfile que de alguien que se dispone a entrar en batalla. Él lo sabe y por eso no tiene miedo. Sonríe y sigue avanzando.

De repente sentí que mi presencia en esa escena era una extravagancia aún mayor que el torneo imaginario en la playa. Además estaba harto de estar en la fiesta pendiente de los uniformes de policía por si tenía que esfumarme. Volví a casa sin que el festejo hubiese terminado. Pero me sabía muy bien el final. Vendría el rey de los cruzados con su ejército y recitaría algunos poemas. Luego el rey árabe aparecería ante él y desde la fortaleza le respondería con versos preciosos. Más tarde abandonaría el castillo con todos los honores sin que se derramase ni una sola gota de sangre. Volví a casa destrozado. En el camino me vino a la mente la imagen del caudillo del grupo de moros, el de la cara pintada de negro. No sé por qué le encontré parecido con el rostro de Ántara que salía en el libro de lectura de tercero de primaria al lado de su poema. Era un poema satírico sobre un rey avaricioso. Me acordé también de aquella historia que escuché en Bab El-jamís, en Salé, de boca de uno de los cuentacuentos. Decía que Ántara no había muerto en su lecho como mueren hoy los poetas, sino asesinado como un auténtico caballero. El cuentacuentos parecía más seguro de su versión que los profesores de literatura clásica de las universidades. Contaba que para Ántara recitar poesía era como respirar. Cierto día surgió un malentendido entre él y un ciego. A causa de la poesía, naturalmente. Al parecer, el ciego tenía más confianza en sí mismo de la que Ántara tenía en su propia lengua. Y amenazó de muerte a Ántara. Éste, que presumía de fuerza, sacudió los hombros en medio del enorme desierto y espoleó a su caballo, que según el cuentacuentos era de color negro, como su amo. Añadió que prefería tener un caballo negro porque eso lo ayudaba a desaparecer en medio del desierto durante la noche. El ciego percibía a Ántara con toda claridad. Lo percibía desde sus tinieblas interiores. Pero Ántara estaba ciego. Porque no percibía la amenaza del ciego. Se lo había tomado a broma. El problema de Ántara es que era tan gigante que incluso el sonido de su propia orina se oía a muchas leguas de distancia. Un día, después de una persecución que había durado toda una vida, llegó a oídos del ciego esa voz de entre todos los caballeros. El ciego sonrió por fin y sacó una flecha de su aljaba. Como un cazador primitivo, dirigió la flecha hacia donde provenía la voz del gigante. Tensó el arco dejando que la muerte eligiese su camino más rápido. Luego disparó la flecha. Y así fue como el ciego vivió y murió Ántara.

Nadie sabe, a excepción de ese cuentacuentos, por qué no percibió Ántara el peligro que lo acechaba. Por qué se empeñaba en no verlo. Por qué se empeñaba en no ver las facciones del ciego mientras profería sus amenazas. Es probable que los ciegos perciban su dolor con nitidez. Jamás he visto a una persona ciega caerse en la calle. En cambio, he visto a personas con los ojos bien abiertos tropezar y caer de forma ridícula. Me da la impresión de que Ántara no percibió su muerte porque no tenía ojos más que para Abla, la mujer que amó hasta la muerte. Ántara gastó toda su vista en contemplar a Abla. Por eso entendemos por qué prefirió comprar un caballo negro. No sólo para que no lo vieran por la noche, sino porque él no quería ver a nadie. Ni siquiera su muerte. El amor se convierte a veces en un ciego que lanza su flecha. Un ciego al que guía una niña por una calle iluminada.

Ni siquiera hoy habría sabido qué decir a la policía si me hubiera parado en la calle. Los inmigrantes más veteranos aconsejan no sacar el pasaporte de casa. Así nadie sabrá tu nacionalidad. Abdelwahab dice que le paran más de una vez al día y que lo cachean de arriba a abajo. A veces le confiscan la mercancía. Le dije que si yo fuera policía haría lo mismo. Porque su aspecto es incómodo. Sin embargo, él dice que su pinta le gusta mucho a las viejas. Sienten compasión por él. O no sé qué. Dice que últimamente las cosas están mucho mejor en España. Hace tres años entraban en nuestras habitaciones de los hoteles y enviaban a Tánger a todo el que caía en sus manos. Le dije que conocía muy bien mis derechos. Que a pesar de que estaba aquí de manera ilegal no era un delincuente. Que yo era un problema que exigía una solución. Sólo eso. Lo último se lo dije a Abdelwahab para filosofar. En realidad era muy probable que yo fuese un delincuente. O al menos que me acabara convirtiendo en uno.

5

Cuando las evangelizadoras se cansan de distribuir panfletos, entran en la cafetería Viña del Mar y piden dos cafés con leche. Durante todo el día paran a los transeúntes y les plantan sus panfletos de colores en la cara. Caminan por la calle una al lado de la otra. Con esas miradas indulgentes dan la impresión de que estuvieran preparadas para detener una catástrofe. Camino del Paraíso. Así se titula el panfleto que distribuyen. Una de ellas debe de tener unos treinta años. Tiene una nariz bastante grande. Por eso me parece más sensible al dolor del mundo. Es como si lo hiciese suyo. En Benidorm, salvo por la cruz plantada en lo alto de la montaña silueteada por un neón que emite una luz brillante, no hay rastro alguno de religiones. El camino al Paraíso ha perdido la luz. Los panfletos de las evangelizadoras apenas sirven de nada ante la inminencia de las tinieblas . La cafetería Viña del Mar es su lugar favorito. Para ellas el camino al paraíso pasa por esas dos tazas de café. Fuera de la cafetería nadie parece interesado en seguirlo. El camino a las discotecas y clubes nocturnos es más luminoso y no requiere de ningún panfleto.

Tener la nariz grande significa que no puedes ocultarla, a diferencia de los dientes. Tienes que convivir con ella de una manera positiva. Es el único modo de aliviar el tormento. Ahora me doy cuenta de que, desde que dejé Marruecos, no he visto ningún funeral. Recuerdo las comitivas fúnebres atravesando mi pequeña ciudad. Con paso lento, como si el tiempo se hubiera estancado en una botellita en lo alto de la estantería. Aquí las ambulancias circulan a una velocidad pavorosa. La gente muere en secreto. Tal vez para evitar a los demás el dolor de recordar ese final natural.

El trabajo en los naranjales no necesita de declaraciones grandilocuentes. Hay muchos como yo que trabajan todo el día como mulas, y al ponerse el sol regresan muertos de cansancio. Cinco mil pesetas al día es una cantidad respetable, que hace que el hombre se convierta en una bestia.

A veces me quedo en el balcón mirando a los parroquianos del bar El Cordobés que juegan a las cartas y beben. De repente esa imagen se desvanece y ocupan su lugar otras imágenes borrosas. Los alumnos dirigiéndose a las aulas, los profesores de aspecto cansado y cara de pena, las funcionarias desagradables que trabajan en la Administración, los indigentes. Los cortejos de las bodas con las mujeres meneando sus traseros menudos sobre carros tirados por burros viejos. Pasan muchas cosas como en un sueño profundo después de una cena copiosa. Gentes y animales incontables. Numerosos rasgos y facciones pasan por mi mente mientras tomo un desayuno interminable en esa cafetería angosta donde, cuando estoy sin blanca, puedo salir sin pagar el desayuno. Una cafetería angosta en una calle larga. No sé por qué, siempre imaginé esa calle como un hombre delgado tumbado en el suelo. Un hombre delgado tumbado en el suelo sobre el que pasa la gente.

Isidro, Christian y José ya no comparten su futuro con nosotros. José se puso a robar naranjas con su amiga la gorda. Christian regresó a su restaurante italiano en Denia para servir espaguetis a los turistas. A Isidro lo despidió Paco, por hablarle de mala manera. La verdad es que no le hablaba mal. Le hablaba de tú a tú. Y eso le molestaba a Paco, que venía en su coche todoterreno y no paraba de sonarle el móvil. Paco compraba campos de naranjas, y nosotros las cortábamos. Hablaba en valenciano, con los dientes apretados, lo que le hacía parecer enfadado. Le pidió a Merche que cogiera nuestros números de la Seguridad Social. Paco no sabía que no teníamos. Ni que España no sabía que nos encontrábamos aquí. Dentro. Le dijimos a Merche que por ahora no necesitábamos la Seguridad

Social. Porque en cualquier momento cambiaríamos de trabajo. Naturalmente era mentira. A Merche le gusta llamar a nuestra cuadrilla Moros y Cristianos. Porque al final hemos quedado tres árabes, un argentino y una española. La verdad es que no sé si Miguel es español o argentino. Ni él mismo lo sabía. Tenía carné de identidad, pero decía que se sentía argentino más que otra cosa. Porque se sabía bien la geografía de Argentina. Pero a mí me parece que esto no es suficiente para sentirse de un lugar. La geografía son las montañas, los valles y las cifras de población. Nada más. Pero no importa. A él le bastaba con eso.

En la panadería en la que por la mañana compramos el pan nuestro de cada día observo al mismo anciano de siempre sentado en una silla cerca del horno. Tiene los pies embutidos en unos calcetines de lana. Cuando empujamos la puerta de cristal para entrar vuelve el rostro y nos mira. Sigue así hasta que nos marchamos. Nadie se da cuenta de su presencia. Pero yo siempre que entro miro hacia él. Siempre está en el mismo sitio. Con la mirada desesperada. La panadería está caliente, y eso me anima a quedarme un rato más. Dejo que la panadera atienda antes a otros. No sé por qué, pero me parece que el anciano está esperando algo. Una espera larga y sin fin. Todos los días se sienta en la silla y estira las piernas. Al terminar el trabajo por las tardes, salgo a pasear. Veo a las ancianas sentadas tras sus balcones con las persianas de madera levantadas para poder ver el exterior. No las suben mucho por no desvelar su soledad. Cuando el ser humano envejece, la espera se hace terrorífica. Lo terrible es esperar que algo repentino ocurra en cualquier momento. Mi abuela también espera. Desde que mi padre y mi abuelo murieron, no hace más que esperar. Siempre dice que uno de nosotros debería compartir con ella el piso de abajo, donde vive desde que murió mi abuelo. Porque no quiere morir de noche, sin que nos enteremos, y pudrirse en su habitación. Eso haría que la gente hablase mal de ella después de muerta. Mi abuela tiene mucho miedo a la muerte. Cuando yo era pequeño, y la abuela Sofía enfermaba, me miraba con los ojos entreabiertos y me decía que era la última vez que la iba a ver. Que pronto moriría. Pero nunca se moría. Abandonaba el lecho en mitad de la noche y se iba a la pequeña cocina en la que todo estaba a mano. Al poco salía con un plato de sopa caliente. En la cocina de Sofía nunca faltaban hierbas. Decía que ni hierbas ni raíces ayudaban a abrir el apetito, y que eran mejores que los remedios de los médicos. Mi abuela odia a los médicos. Cree que son unos impostores. Me susurraba que pronto moriría, y yo me ponía muy triste. Permanecía sentado a su lado, como si la estuviese protegiendo de algo que yo no podía ver. Me ponía triste y lloraba en silencio. Ella no me veía, porque le molestaba la luz. Por eso la apagaba desde el interruptor que colgaba de la cabecera de la cama. La escuchaba en medio de las tinieblas murmurando nombres que no conocía. Dice que cuando enferma ve a un hombre que avanza hacia ella con una escopeta de caza en la mano. Se acerca, le apunta a la cabeza y dispara. Esa es la razón por la que enferma por periodos que pueden ser más o menos largos. Cuando vuelve a aparecer esa persona extraña, le apunta a la cabeza y dispara de nuevo. Entonces se despierta de repente, se levanta y se va a la cocina. Sofía siempre ha sido muy buena cocinera. Repite constantemente que la persona que le apunta con su arma la matará algún día. Está convencida. Le pregunto cómo es el hombre, qué aspecto tiene. Dice que nunca lo ha visto bien, porque avanza hacia ella en medio de la oscuridad. Y que su llegada viene acompañada de un sonido que convierte las imágenes en fantasmas. Es cierto. A veces mezclaba mi nombre con los de otras personas que no conocía, mientras me llamaba con los ojos cerrados y la cabeza ceñida con un pañuelo negro, apretando los labios a causa del sufrimiento.

Desde que murió el abuelo, Sofía no volvió a ver al hombre armado. Aunque empezó a soñar con mi padre y mi abuelo, que la invitaban a un largo paseo. Cuando despierta le relata a mi madre los detalles del sueño. Dice que los ha visto con ropas blancas y largas. Y que estuvieron toda la noche sonriendo. Creo que los escritores piensan en la muerte más que otras personas. Porque son egoístas. Quieren hacer algo contra la muerte. Hacer libros, como último recurso contra ella. Pero, después de muertos, acaban en un hoyo como todo el mundo. Aunque ellos quieran vivir muchas otras vidas a través de los personajes que crean, acaban viviendo una sola vida. Y generalmente mala. En vez de asomarse a los balcones como esas viejas, los escritores se asoman a sus libros. Para que ese asomarse sea menos doloroso, lo comparten con la gente. A la gente le gusta descubrir el modo de asomarse del escritor. Porque están necesitados de mentiras para seguir viviendo. Los cuentos, las novelas, el cine son mentiras contemporáneas que han convertido a los ciudadanos en un público de bestias que dan vueltas en el molino de la vida cotidiana. Un público que, encima, lee y es culto.

6

No sé cómo explicarlo. Pero cada vez que veía a una inglesa dando tumbos por la calle pasada la media noche se me iban los ojos al bolso. Sabía lo fácil que era robar a los ingleses. Porque en cuanto se emborrachan se despreocupan de todo. Lo difícil era convencerme de que en mi interior habitaba un viejo ladrón. Un ladrón profesional. Cuando quería leer un libro y no tenía dinero para comprarlo, lo robaba. También robaba muchas postales y se las regalaba a los amigos. Me parecía que había errado mi camino haciéndome escritor. Debí haberme iniciado en la vida como ladrón. Siempre simpaticé con los ladrones. Los busqué en los tebeos. En las películas. Y en los zocos, de niño. Siempre me fascinaron por sus dedos largos y hábiles. No sé si llevo dentro de mí a un auténtico ladrón. De todas formas consigo dominarlo. Aunque él me domina a veces. O por lo menos, me convence. Aunque sus argumentos son pobres, lo incito a que me venza. Porque quiero que deje en ridículo los argumentos del escritor estúpido que habita en mí. No quiero que el escritor venza. Porque es un mentiroso. El ladrón roba y no miente. Esa es la diferencia entre el ladrón y el escritor.

En España, al llegar, la mayoría de mis amigos eran ladrones. Jáled, el que me consiguió el trabajo en los naranjales, robaba coches de lujo y los llevaba a Marruecos. A veces vendía hachís o pasaba de Algeciras a Alicante la mercancía para los gitanos. Mustafa, el que me acogió en su casa de un barrio de las afueras de París, también era un ladrón peligroso. Y Nureddín, su primo, otro gran ladrón. A los dos días de estar en su casa, descubrí que todos los muebles eran robados. Mustafa recurre siempre a su corpulencia para sostener la dudosa pretensión de que era campeón de judo en Orán. Tiene un gesto inescrutable y una sonrisa de medio lado como la de los fanfarrones a los que les gusta que les repitan que son muy elegantes. Su marca favorita es Yves Saint-Laurent. Su armario está repleto de ropas y perfumes de esa marca. Con su pasaporte francés falsificado puede pasearse por toda Europa como un respetable ciudadano francés. Mustafa no fuma ni bebe y asegura que cumple con sus rezos. Aunque sin aducir la más mínima prueba de su dudosa fe.

La primera vez que habló de su padre, dijo que se ponía muy contento con los perfumes que él le llevaba de París. Y añadió que estando en la habitación de al lado, en una ocasión, le oyó decir que Dios lo perfumaría con el aroma del Paraíso como él lo había perfumado con los perfumes de la tierra.

Hasta ahora no me he encontrado más que con ladrones. No he conocido ni a un solo escritor o periodista. Tal vez sea mejor así.

Esta mañana, no sé por qué, me vinieron a la mente pequeños detalles que acompañaron mi partida. La ropa doblada en la maleta de cuero negro. El dinero oculto en el calcetín como un viajero palurdo. Era una mañana melancólica. El tren de las siete estaba tan frío como un saludo sin respuesta. Y Rabat, como de costumbre, era una ciudad antipática. No tuve lágrimas que derramar al despedirme de mi madre y mis hermanos. Mi abuela dormía. No quise despertarla. Mi madre me abrazó con fuerza y se echó a llorar. Me dominé y sonreí. El maletín negro de cuero que me acompañó todo el viaje lo había utilizado en Rabat como maletín de intelectual. Sus numerosos bolsillos daban la impresión de esconder muchos secretos.

Cuando iba a Rabat y desayunaba en aquel café que parecía una galería de tantos cuadros como había colgados, ponía a mi lado el maletín y leía los periódicos. Era el lugar idóneo para representar el papel de intelectual comprometido. Allí iban los actores de televisión fracasados. Los presentadores de programas mediocres. Y los poetas jóvenes que buscaban algún responsable de las páginas de cultura que les publicase los poemas. Todos tenían uno de aquellos maletines. El café estaba cerca del cine, del teatro y de los bares. Por eso era conocido por los intelectuales, los soplones de la policía y las putas. Siempre pensé que mi maletín era el más bonito de todos, porque era de cuero negro.

De vez en cuando iba por el café. Allí podías quedar con algún amigo. Y todo el mundo conocía el número de teléfono. Además, el sitio era bonito. Había una exposición permanente de pintura. A veces algún artista arruinado se veía obligado a poner a la venta sus cuadros, a muy buenos precios. Los soplones que frecuentaban el café también eran conocidos de todos. No llevaban gabardinas largas como los de las películas. Ni leían los periódicos al revés. Pero todos los conocíamos. Más incluso que a los protagonistas de las teleseries infames que casi siempre venían acompañados de chicas de mala reputación.

Dos días antes de mi partida quedé con algunos amigos para hacerme con direcciones que me pudieran ser útiles si algo ocurría o necesitaba una pequeña ayuda económica en algún lugar del viejo continente. Pero la mayoría me dejaron plantado.

Cuando me fui, sólo los ladrones se quedaron a mi lado. En estos tiempos perversos puedes depositar tu confianza en un ladrón, pero no en un intelectual.

Mustafa cree que Europa es una tierra de botín para los argelinos. Especialmente Francia. Dice que aunque se pasara toda su vida robando, no compensaría lo que Francia robó durante los años que estuvo en Argelia. Que lo que le ocurre a Argelia ahora es una secuela tardía del colonialismo. Y que Francia tiene que pagar por ello. Así explica Mustafa la igualdad. En París me perdí más de una vez en los túneles del metro. Zuwawiya me dijo que la solución para mí era buscar una francesa y casarme con ella. Que ésa es la única solución que hay en Francia. Me dijo también que los franceses son unos racistas. Que la estuvieron mareando durante años antes de concederle la nacionalidad. Su marido era un francés que ahora estaba en la cárcel. Según ella, se podía ir al infierno cuando saliera. Pero le había dado un hijo y la nacionalidad. Mustafa le permitía a Zuwawiya entrar en su casa. Decía que les unía un lejano parentesco con un familiar en Argelia. Cuando hizo las maletas para viajar a España a comprar hachís, él me dejó las llaves y me dijo que no abriese la puerta a nadie. Y mucho menos a ella. Pero me compadecí de su hijo y les abrí la puerta. Insistía en que lo que yo tenía que hacer era buscarme una francesa para casarme. Porque la situación en Francia era muy complicada. Antes de irse a dormir a la habitación de al lado me contó que durante mucho tiempo había dormido en las cabinas de teléfono, en los túneles del metro y debajo de los puentes del fétido Sena.

Mustafa me prometió que a su regreso me conseguiría un pasaporte francés a través de unos amigos suyos, por tres mil francos. Ese era el precio en París. Zuwawiya también me prometió que me conseguiría un trabajo con unos judíos en un barrio de

París. Pero parece más preocupada por encontrar una casa para ella y su hijo Málik que por encontrarme un trabajo. Jáled me dice bromeando que tengo que casarme con Zuwawiya para hacerme francés. Yo miro al pobre niño y sonrío. Hay una frase que Málik dice a la perfección: *Que se follen a tu madre.* Cuando llora, se oyen sus gritos desde la calle. A Mustafa le tiene mucho miedo, porque lo castiga.

Mustafa me dijo que para conocer bien París tendría que aprender a ir solo en el metro. Es lo mejor para descubrir esa selva impenetrable llamada París. A lo largo de mi vida me había hecho una idea sobre París a través de los poemas y textos de escritores que habían hablado de esta ciudad, inmortalizándola. El París de los poemas no es el que está sobre la tierra. Los poetas suelen mentir de una manera ridícula. Sus poemas resultan cómicos. Los túneles del metro me parecían arterias interminables de las entrañas de una bestia dormida. Desciendo de nivel. Me monto sin saber hacia dónde. Cuando el metro se detiene, bajo al nivel siguiente. Prosigo el viaje de esta manera. Hasta que he estado en todos los niveles. Y, a medida que desciendo, siento claustrofobia. Como si descendiera a una gran tumba. La gente va muy deprisa, como en una película. Trato de no preguntar a nadie. Porque sé de antemano que el primer transeúnte al que pregunte levantará el dedo señalando molesto uno de los paneles electrónicos colgados por todas partes en la estación. En los vagones todos sumergen la cabeza entre las páginas de un libro o un periódico. Sé que la mayoría de ellos no leen. Que lo hacen para protegerse de los demás. Los libros y los periódicos sirven para librarse de los demás.

En París puedes vender y comprar cualquier cosa. Ropa. Sexo. Perfumes. Permisos de residencia. Pasaportes. Hachís. Los perfumes caros se venden a precios muy razonables. Eso me parece maravilloso. Porque es una extravagancia pagar dos mil francos franceses por un frasco de perfume. Sólo por la tontería de que lleve una firma como Yves Saint-Laurent.

Mustafa dijo que me enseñaría el París nocturno. Ese que los poetas no pueden describir porque se acuestan temprano como las gallinas. En los escaparates hay luces brillantes. Y tras ellas se sientan mujeres desnudas que hacen señas a los transeúntes y guiñan los ojos de manera descarada. La mayoría proceden de Europa del Este. Rusas. Polacas. Checas. Las delatan sus pieles glaciales. Así se derritió el hielo del comunismo de Europa del Este para dejar totalmente al aire el culo de ese bloque ante el mundo. Encienden las luces en la Torre Eiffel. Parece alta. Y absurda. A pesar de ello nos paramos debajo. Y como turistas, nos hacemos fotos.

Esto es París. Amantes que pasean de la mano por los Campos Elíseos. Patrullas de seguridad armadas hasta los dientes que pasean con perros terroríficos por los túneles del metro y por los suburbios. Es el Arco del Triunfo, el Barrio Latino y Châtelet donde todo está ordenado y limpio. Y un barrio de París que no puedes cruzar sin que te sorprenda el tremendo parecido que guarda con el barrio de Yaqub Elmansur de Rabat.

No sé por qué los poetas cantan al Sena. Ese río sucio que arrastra todo en su camino hacia la deprimente desembocadura. En sus orillas se agolpan los mendigos, los ladrones, los que buscan una aguja contaminada que clavar en sus brazos flacos buscando un éxtasis en la ciudad de las luces. Recuerdo el río Bu Regreg. El más limpio de todos los ríos. Recuerdo cuando remaba, con mi cuerpo delgado, para llevar a la otra orilla a alemanes, ingleses e italianos que se reían y hacían fotos. Por la noche nos tumbábamos en la barca en medio del río. Echábamos nuestros anzuelos al agua buscando al perezoso mújol que yace en el fondo como un tesoro antiguo. Bebíamos té y mirábamos las luces de la Torre Hassán y de la alcazaba de los Udaya y las casas de la judería sumidas en la tristeza. A lo lejos brillaba el cementerio de Salé con sus muertos acunados por el vaivén de las olas del mar. Brillaban los alminares de Bab Eljamís, de Bab Shaafa y de Suq Algazal, como si fuesen dedos que se elevan en la oscuridad pidiendo sin descanso la ansiada palabra en la noche del país.

Este Sena turbio ya sólo sirve para arrastrar los cadáveres de los árabes que arrojan los descendientes de la Revolución. Esos necios que se creen que basta con raparse la cabeza para odiar al mundo.

7

Tal y como habíamos quedado, llegué a la discoteca a las diez de la noche. Jáled estaba esperándome en la entrada. Desde hace algo más de una semana trabaja de portero. Su robusta complexión y su estatura le garantizan el trabajo en los meses de verano. Cuando llegué, Jáled me presentó al jefe de los camareros. Me dijo que empezaría a trabajar esa misma noche. Que ya vería si estaba capacitado para ese tipo de trabajo o no. Aunque no era complicado, él prefería darle importancia. Bajamos a la pista de baile. La música era insoportable. Pero al menos había aire acondicionado. Desde las diez de la noche hasta las ocho de la mañana tenía que recoger todas las botellas y vasos vacíos que los borrachos dejaban abandonados en las mesas, por el suelo o en los servicios. También tenía que barrer las botellas rotas. Y fregar el suelo cada vez que alguien se mareaba y vomitaba la pizza que había engullido a toda velocidad. El jefe me presentó a un tipo flaco con unas gafas que le comían toda la cara, y que al hablar se las tenía que subir con el dedo. Me dijo que sería mi compañero de trabajo y que me explicaría todo lo que tenía que hacer. Hablamos un rato de los horarios y me dijo que si quería alguna bebida, que se la pidiese a la camarera. Le dije que no bebía. Pídete un zumo, me dijo. Una hora después me preguntó de dónde era. Le dije que era marroquí. Él era curdo. Le pregunté si conocía a Salim Barakat. Me contestó que no sabía quién era. Le conté que preparaba mi tesis doctoral sobre una novela suya titulada *Plumas*. Sonrió y me preguntó de qué iba la novela. Le dije que trataba sobre la tragedia de los curdos. Y que estaba traducida a muchas lenguas. Vino uno de los camareros y me pidió que lo acompañara. Lo seguí. Me dijo que cogiera la escoba y que barriera un lugar en el que había muchas luces de colores. Me sentó mal. No me gusta recibir órdenes de nadie. Limpié el lugar a conciencia. Me di una vuelta buscando algún vaso vacío, botella olvidada o cenicero abarrotado de colillas. No encontré nada, porque todos se habían llevado los vasos y se agolpaban alrededor del espacio iluminado para ver un *strip-tease*. Algunas inglesas vienen aquí de vacaciones, pero si encuentran un trabajo como ése prefieren quedarse a regresar a su país. Porque reciben una respetable cantidad de dinero por un desnudo rápido. Un desnudo rápido y fácil. Que consiste en quitarse la ropa pieza a pieza. Pero Áhmed, Miguel y yo teníamos que trepar a los árboles de los campos para ganarnos el jornal. Aquí cada cual se busca la vida según sus posibilidades corporales. Jáled es alto y pesa más de cien kilos, lo que le facilita el conseguir un trabajo nocturno. Las chicas guapas trabajan en hoteles y agencias de viajes. Las menos guapas reparten publicidad. Suzane friega los suelos del hotel y fuma. Todos hacen algo para vivir. Cualquier cosa. Lo importante es moverse. Que vayas al supermercado y puedas sacar la cartera del bolsillo y comprar cuanto quieras. Eso es Europa. La lucha diaria por una vida mejor. No tiene nada que ver con sentarte en la terraza de un café y consumir todo tu tiempo lamentándote y quejándote. Aquí lamentarse no vale para nada. Porque no hallarás compasión si no trabajas.

Después de coger la escoba, limpié la pista iluminada con luces de colores. Sentí asco y me desprecié infinitamente a mí mismo. La música *tecno* que salía de los numerosos bafles me ponía de los nervios. Es imposible soportarla sin haberse tomado algunos éxtasis. Los habituales de la discoteca Las Bahamas bailan con los ojos cerrados. Sus movimientos rápidos hacen pensar que se han tomado varias pastillas a lo largo de la noche. Pensé que Jáled se haría rico gracias a ellos. Limpié bien el suelo de cristales y de los restos de pizza que vomitaban a causa del pésimo güisqui que sirven a esas horas de la noche. Las tres de la mañana. Dentro de poco entraría Sticky Vicky como una estrella de Hollywood. En los cabarés del barrio inglés Sticky Vicky se desnuda del todo. En cada local se desnuda un cuarto de hora. Luego se pone rápidamente su escasa y deslumbrante ropa para irse al siguiente. Gana cincuenta dólares por sesión. «Sticky Vicky tiene que ser muy rica», repite Abdelwahab. Y añade que, si ellos quisieran, él les enseñaría la polla por mucho menos de lo que pide esa guarra. Lo repite y se muerde los labios con rabia, como si se le estuviese escapando una gran oportunidad sin poder aprovecharla. Su gemelo Yúsef le explica que si sólo se tratase de quitarse la ropa pieza a pieza todas las chicas de Benidorm se desnudarían, pero que hay números de seducción que realiza esa picarona que hacen abrir a los borrachos no sólo la boca, sino también la cartera. Sticky Vicky es muy famosa. Sus fotos desnuda están en las puertas de todos los cabarés. Puede que su fama supere la de los representantes del Partido Popular, cuyas fotos suelen aparecer en los periódicos. Abdelwahab está convencido de que la irlandesa que regenta el bar donde va a beber se ha enamorado de él. Porque su marido es sólo un toro manso e inútil. Dice que ellas nos prefieren a nosotros los árabes porque somos más machos. Es ridículo. Aquí las mujeres piensan que somos criaturas sexuales con miembros gigantes. En las películas que ponen en la televisión presentan al árabe como un idiota que babea al ver a una mujer. Y, a veces, como un barrigudo de mirada malvada que echa veneno en la bebida de otros. Por eso siempre he pensado que el cine es el último recurso al que acudir para conocer al Otro.

Iraquíes, marroquíes, argelinos, curdos, paquistaníes, gitanos, indios. Infinitas razas recorren este viejo continente buscando una salida. Cada uno tiene su propia historia. Historias que son auténticas películas. Cuando un curdo te cuenta cómo huyó desde el norte de Irak después de que unos aviones destruyeran su aldea; o un argelino cómo sirvió en el ejército durante dos años en el Sáhara, disparando sin estar seguro de si a quien disparaba era realmente su enemigo, se te olvida tu historia personal. Y tal vez hasta acabas por considerarla vulgar e insignificante, comparada con esas historias. Aquí es como si se hubieran repartido el terreno. La mayoría de los argelinos se dedican a robar, porque consideran que trabajar es una tontería. Los gitanos andan pidiendo por bares y restaurantes. Tocan la guitarra, cantan flamenco y engañan a los turistas con juegos de azar. La policía está todo el día echándolos. Pero ellos se esconden en el momento preciso. Los paquistaníes salen pasada la medianoche. Lo único que hacen es vender rosas rojas a los borrachos en las discotecas. Tienen aspecto de tranquilos. Todos se visten con ropas muy parecidas. Zapatillas de deporte y pantalones planchados a conciencia. Y largas camisas normalmente de un solo color. Venden las rosas sin charlatanería. Los viernes van a rezar a la mezquita de Alicante. En cuanto a los marroquíes, la mayoría prefieren esconderse en los pueblos pequeños a trabajar en el campo. Allí nadie se preocupa de pedirles los papeles. Mientras trabajes en el campo nadie te molestará. Los problemas empiezan cuando te vas a las grandes ciudades. La piel te suele delatar. Y acabas en el juzgado de guardia. La mayoría de los argelinos que he conocido aquí han sido detenidos por la policía. Y sobre todos ellos pende una orden de abandonar el territorio español en un plazo de diez días. Pero ninguno abandona esta tierra. Es como si se hubiera convertido en su propia tierra. Donde están sus verdaderas raíces. La policía también sabe que ellos no regresarán. Por eso, la primera vez que los detienen, registran su nombre y ya no vuelven a molestarlos. Abdelkáder cuenta riendo que cuando lo detienen da nombres y nacionalidades distintas. Una vez, iraquí; otra, palestino, etc... Dice que él es una Liga Árabe ambulante. Nada más llegar a España quemó su pasaporte. Así se deshizo de su identidad. Y así ha seguido. Un mero ciudadano de todos los países árabes de golpe. Y siempre se dice de uno distinto.

Una sensación de tristeza me envuelve mientras voy por la calle. Puedes estar todo el día caminando sin saludar a nadie. Para venirte aquí tienes que haber decidido vivir desarraigado. Como una planta arrancada y transplantada a otra tierra. Para mí las raíces no son más que el griterío de los niños delante de la casa. Y las deliciosas peleas de las vecinas en el barrio. Es la voz del almuédano cada día al alba. Las reuniones familiares alrededor de la mesa. El pan que amasa mi madre, que comemos impregnado con el olor a leña. Esta vida no me conviene. Su velocidad me aterra. El tiempo aquí es un auténtico enemigo que galopa sin descanso. Por eso todos han envejecido en este continente. Me ocu-

rre que a menudo pienso en volver. Todos los días
me ronda la idea. Pero pienso también que la patria
puede ser portátil. Tan sólo tienes que buscarla en
tu interior. Y cuando la encuentras, puedes reconciliarte con ella y volver a habitarla. En definitiva
se trata de reconciliarte y habitarla en tu interior.
El interior es siempre lo más importante. La gente
no busca en su interior. Porque está oscuro y asusta. La gente no busca lo complejo, pero la vida lo
es. Mucho más compleja de lo que parece.

Me gusta sentarme a escribir después de haber
puesto algo al fuego. Arroz, por ejemplo. Así me
tengo que levantar a menudo para ir a la cocina. Y
así no le cojo manía a los papeles. Si como bien,
escribo cosas preciosas. Soy consciente de ello. Si
como mal, escribo tonterías y pienso en marcharme. No sé adónde. Pero sí sé que este sentimiento
remite después de una buena comida. Por eso no
me voy a ningún sitio. Macarena sugirió que a ver
si pagaba yo de vez en cuando. Naturalmente ella
no sabía que no tengo ni un duro. No se lo había
dicho. Luego me contó que había sentido la necesidad de salir con alguien y que recurrió a los anuncios del periódico. Y después de cenar, dijo que aquí
la costumbre es pagar a escote. Yo no necesitaba esa
historia para comprender que había empezado a ser
una carga. Buchra me dijo un día que yo era muy
susceptible. Todas las chicas que he conocido me lo
han dicho. No la llamé por teléfono en una sema-

na. También evité pasar por delante de la tienda. Ella tampoco me llamó. Sé que me quiere. Por eso intenta irritarme. Me gusta que las mujeres no me hagan caso. Necesito ese tipo de rudeza. Tal vez me sirve para justificar mis derrotas personales. O tal vez para sentir que todos me tratan mal. Incluso los que me quieren. Quizá exagero al colocar al mundo entero de un lado, y a mí, de otro. Me he quedado solo, llorando en silencio. Cuando me canso, me limpio la cara. Y siento que he logrado deshacerme de un peso. Se lo conté a mi amigo Múhsin, el joven iraquí que huyó de Bagdad después de que su hermano fuese detenido y asesinado en la cárcel. Me contó que a él también lo acechaban los mismos sentimientos. Múhsin dejó el ejército por lo que le ocurrió a su amigo Razuqi, que mató a dos curdos en una escaramuza:

«Coincidimos en el mismo tanque. Yo iba al mando, porque era el único que tenía estudios universitarios. Lo conducía Ali Ramadi; en los aparatos de detección iba Ádel Diwanía; Razuqi Nasiría era el que disparaba... Cuando vimos el coche de los curdos que se precipita ardiendo en el camino, grité: "No te he dado orden de disparar". "Ellos han atacado primero", dijo. Seguí gritando: "Pero tú sabes que las balas de sus fusiles no hacen nada en el blindaje del tanque". "Pero uno de ellos ha sacado una bazuca RPG por la ventana del coche... ¿es que no lo has visto?". Nos quedamos todos callados porque lo vimos en la sangre caliente que se le subió a las sienes, en la presencia poderosa de la muerte en medio del humo, en el retumbar de las balas, en la locura de las explosiones... Nos quedamos callados largo rato hasta que se disipó el olor de la pólvora, y el humo de nuestra guerra civil se elevó hacia el cielo, alejándose de la tierra verde, de las colinas del horizonte en las que empezaba a brotar la incipiente primavera, indiferente a nuestra matanza, a la mezcla del rojo de nuestra sangre con el rojo de *poppies* las amapolas... Ali paró el motor del tanque y subimos a la torreta. A nuestros pies, un reguero de cadáveres se extendía por el camino hasta el horizonte verde y el azul del cielo. La muerte de aquellos cuerpos cuyos espíritus desconocíamos no era tan dolorosa como la de los dos curdos conocidos..., que se habían convertido en cadáveres al apretar nuestros dedos el gatillo después de haber sido seres humanos repletos de sueños. Tenían hijos y madres.

»Nos miramos unos a otros y nos volvimos hacia atrás, hacia donde se elevaba el alminar de Al Hadba en el centro de Mosul. Sin pena ninguna decidimos dejar el tanque y con pena dejar este país... Pero, ¿realmente lo hemos dejado, o lo seguimos llevando a cuestas en nuestros papeles en el exilio? Nos quitamos los uniformes militares, nos pusimos las ropas de colores que habíamos guardado en las maletas para los días de permiso y corrimos hacia la ciudad. Pasamos dos días de viaje despidiéndonos y despidiendo al país. Nos gustaba la magia de los ojos de las mujeres de Mosul en el barrio de Sarch Jana. Comimos tortitas de carne en Bab Tub. Nos sacamos brillo a los zapatos en la calle Alepo y fuimos pasando por todas las puertas... Bab Al Bayd, Bab Lakash y luego por Ras Yadda, Ras Tananir, Faruq, La plaza del Reloj; hojeamos los libros en la calle Neyefi y nos echamos la siesta en el cine Dawasa. Y por la tarde, paseos por las tumbas de los profetas: Set, San Jorge y Jonás, al que se tragó la ballena... Pasamos por donde estaban los carros de los vendedores de dátiles, las moscas zumbaban y algunas se nos posaban en la nariz, las orejas, la cabeza despeinada, y el vendedor nos ofreció platos de dátiles y vasos de yogur líquido, diciéndonos que los dátiles son muy buenos para los recién casados. Y sonreía. Pero al ir a pagar no teníamos en los bolsillos más que billetes de cien dinares que el vendedor no podía cambiar. Una anciana se detuvo cuando nos vio y enderezó su joroba apoyándose en el bastón. Luego sacó una bolsa de dinero de sus ropas curdas y se la dio al vendedor. No sé por qué en ese mismo instante le dije a Razuqi: "¿Te imaginas que fuera la madre de uno de los curdos?"... Entonces se dio la vuelta bruscamente, se agachó y vomitó.»

Múhsin intenta convivir como puede con esos recuerdos. Pero no siempre lo consigue. Como yo, como Áhmed el argelino, como Yamal y como el resto de los que buscan una salida en el umbral de un nuevo siglo.

8

Durante el otoño, Benidorm se convierte en un viejo cementerio de elefantes. Al terminar el verano, llega otro tipo de turistas. Gentes en busca de tranquilidad. La mayoría va en silla de ruedas. Los menos andan por su propio pie, mostrando las piernas surcadas por venas verdes, como tuberías gastadas en una pared cubierta de humedad. La noche se vuelve menos estrepitosa de lo que eran las noches de agosto. Toda esa juventud en busca de aventura se ha ido. Todos esos excéntricos que te aturden con sus encantos, y a los que no sabes si odiar o tolerar. En París, algunos como ellos salieron con nosotros en una manifestación a favor de los inmigrantes ilegales.

Dicen que están marginados. Lo mismo que nosotros. Por eso se solidarizan. Es ridículo. Karl me prestó una cinta con canciones antiguas. Karl es inglés, bajito y da conciertos en el cabaré que hay en los bajos del edificio en el que vivimos. Una hora antes que él, sube al escenario otro inglés. Muy tonto. Imita sin mucho talento las canciones de Elvis Presley. Karl cuenta que pasó mucho tiempo en los palacios de los millonarios de Oriente Medio. Y que a Yáser Arafat le gustó mucho y que lo recibió y le regaló un puñal. Le dije que no me gustaban esa clase de ricos. Pero elogié mucho su casete. Se lo dije por pura cortesía. Porque la verdad es que no me gusta la música *country*. Es aburrida y está repleta de consejos. Es terrible, pero la verdad es que últimamente no me gusta nada. Cuando dejas de amar algo, quiere decir que has descubierto cosas horribles que antes no veías. No le expliqué a Karl que los ricos en cuyos palacios cantaba tenían también palacios en otros sitios adonde llevaban chicas vírgenes por un puñado de dólares, porque explicárselo no le hubiese servido para nada. Karl canta *country* para ganarse la vida. Eso es todo. El resto no le concierne. El otro inglés vive en el piso de abajo. Lleva unos pantalones de cuero negro que le hacen parecer un acróbata y las botas de *cowboy* hacen que su caminar desentone con su respetable peinado. Lo único que tiene en común con Elvis Presley es el peinado. Si nos encontramos en el ascensor, no nos saludamos. Me da la impresión de que se siente demasiado seguro de sí mismo. Como cualquier artista fracasado.

El paisaje carece de importancia cuando tienes hambre. Miras al mar y encuentras que no es más que una absurda extensión acuática. Miras el sol poniéndose y te parece un mero disco que se oculta tras los edificios altos. Un disco pálido e insignificante. Me acordé de aquellas lejanas vacaciones de verano en las que me vi obligado a mentir. No tengo hambre, le decía a mi tía cada vez que yo dejaba de comer mientras los demás seguían comiendo. Pero ahora no miento. Tengo hambre de verdad. Y no tengo ni un duro.

Jáled suele decir que sólo los burros trabajan en el extranjero. Tengo que pensar en hacer otra cosa para vivir. Vender hachís como él, robar coches o bolsos de inglesas en las discotecas.

Ahora recuerdo la cantidad de veces que salí de casa sin desayunar. Pasaba por el quiosco. Robaba el periódico *Al-Quds (Jerusalén)*. Me iba al café. Desayunaba despacio esperando a que llegara algún amigo. No siempre tenía esa suerte. El camarero entendía mi situación. Porque veía de vez en cuando mi firma en los periódicos. Tal vez por eso se solidarizaba conmigo. Creo. Salía sin pagar el desayuno. Salía sin mirarlo. Y él también evitaba mirarme. Ambos intentábamos eximir al otro de esa incomodidad. Aunque la mía era más grave, porque me sentía despreciable. Aquella situación podía durar semanas.

Largas semanas durante las que me desprendía de muchos libros. Novelas de Milán Kundera. Las obras completas de Naguib Mahfuz. Vendía también poemas que no valían nada a revistas cuyos nombres no recuerdo. Poemas que escribía tan sólo por necesidad. Nunca me he arrepentido de ello. Los libros habían empezado a traerme mala suerte. Los miraba apilados en la estantería como un ejército de papel. Un ejército abandonado para siempre. Por eso nunca me ha gustado escribir cuentos, porque cada vez que quieres escribir un cuento nuevo tienes que inventarte mentiras escandalosas. Lo experimenté cuando tuve que escribir cuentos por dinero. Con el paso del tiempo me di cuenta de que mentía de manera despreciable. Y de que tenía que acabar con aquello. La verdad es que nunca me gustaron esos escritores que pensaban que la gente era tan sólo un rebaño descarriado de borregos en cuyo nombre hay que hablar. La gente no necesita de los escritores para criar sus gallinas ni para pelearse unos con otros. Yo escribo para descubrir algo en mi interior. Algo que me avergüence hasta la muerte. Con tan sólo sentir que lo he descubierto, extirparé de mí este vicio llamado escritura.

En efecto, escribir es un mal hábito. En vez de vivir la vida eliges escribir sobre ella. O escribir a propósito de otras vidas que nunca has vivido. Vidas menos desgraciadas que la que vives. Y luego, todas esas horas sentado a la mesa que la escritura requiere, en vez de emplearlas en pasear por la calle. Es realmente triste.

Prácticamente todos los días salen en televisión imágenes de muertos en Argelia. Cadáveres mutilados de mujeres y niños. Algunos degollados como corderos. Quedó prendida en mi mente la imagen de una mujer mayor tumbada en una cama de un hospital. Una mujer con un tatuaje en el entrecejo. Respiraba con dificultad, tenía los ojos cerrados y una sonda en la nariz. Una imagen fugaz. Pero su respiración acelerada se me ha quedado prendida para siempre. Me acordé de mi padre tendido en una cama blanca de la sala de reanimación. Lo mirábamos a través del cristal. No nos permitían acercarnos más porque estaba inconsciente. Nadie sabe adónde va la conciencia cuando se ausenta. En la calle la gente te echa miradas que vacilan en expresar su significado. A algunos les disgustas y se apartan, dejándote con la impresión de que eres un peligro ambulante del que hay que protegerse. A veces los comprendo. La televisión ofrece de nosotros la imagen de un país que no es más que una flota incesante de pateras y una juventud desesperada que prefiere morir en alta mar a regresar a su país. Esta imagen, además de otras desagradables de cadáveres en Argelia, provoca aquí inquietud por todo lo que es árabe. Aunque creo que los españoles son un pueblo pacífico. Tienen una inclinación natural hacia la paz. Creo que se nos parecen mucho. Hablan todos a la vez. Pero se escuchan los unos a los otros. En la televisión expresan su descontento de un modo muy natural. Y la mayoría de las veces con palabras vulgares. O que así las consideraríamos nosotros. Pero para ellos son tan sólo palabras para expresarse de una manera más sencilla. Durante los primeros meses tuve bastantes dificultades para entender su manera de pensar. Al principio me parecieron racistas. Lo pensé porque nadie me entendía cuando hablaba en francés. Acabé por darme cuenta de que sólo sabían su lengua materna. No como nosotros. Que recurrimos mucho al francés porque pensamos que es la lengua de la elite o que nuestra lengua es inapropiada para nosotros. Por eso nos invade el léxico francés de un modo escandaloso. Además, ¿cómo le exiges tú, que vienes del otro lado del mar, a un español que hable contigo en francés en su propia tierra? Nada en absoluto le obliga a hablar contigo.

Así es como tus razonamientos se encaminan a explicaciones extrañas, como el racismo. Los franceses consideran a los españoles simples campesinos, porque son del sur. Los españoles consideran que los franceses son unos gallitos altaneros. Rara vez acepta un español hablar contigo en francés, aunque lo hable con soltura. Lo que te obliga a realizar un esfuerzo adicional para aprender español. Así se aprende una nueva lengua.

En la actualidad, España es el país de Europa menos racista. Lo he leído hoy en el periódico. Han publicado un estudio sobre cómo perciben los españoles a los extranjeros y a los gitanos. En algunos de esos pueblos remotos a cuyos campos fuimos a trabajar, la gente apenas sabía nada de los marroquíes. Todo lo que sabían se remontaba a antiguas leyendas sobre los moros que habían ocupado su tierra. Y a los que habían expulsado de mala manera. Leyendas transmitidas de padres a hijos que cuentan una historia fantástica repleta de falsificaciones.

Todo lo que ahora saben de los marroquíes es que están locos porque se embarcan en pateras huyendo de algo. Piensan que todos los marroquíes que ven en la calle han llegado en barcas como antiguamente. A algunos les explico que Marruecos es como España. Sólo que España está en Europa y Marruecos en África. Y que entre nosotros hay un mar de tiempos que separa los dos continentes. Sé que las cosas son mucho más complicadas que como yo intento explicarlas. Pero el nivel cultural de los habitantes de los pueblos perdidos en las montañas no da para hablar del Fondo de Compensación, de la Zona de Libre Cambio o de la moneda única. Y si no, qué aspecto tendría una persona con el mono lleno de barro inmerso en explicaciones de este estilo. Estúpido, sin duda. La cuestión que a mi juicio merece la pena ser estudiada es la de la integración de los marroquíes en la sociedad española. En realidad nosotros somos gente muy compleja. A veces ni yo mismo me entiendo. En cuanto a nivel de integración, los marroquíes son los que menos se integran, porque siempre consideran que su cultura es mejor. Por eso, fuera de su país se comportan como si estuvieran en realidad en el suyo. Eso hace que atraigan las miradas más que otros. Intento explicarle a Abdelwahab que se equivoca cuando insiste en analizar las cosas de acuerdo con la lógica del ciudadano marroquí a quien las adversidades de la vida diaria obligan a estar alerta desde que sale de casa hasta que vuelve a tumbarse en la cama por la noche. Porque aquí no te ves obligado a protegerte de la codicia de los taxistas, o de los oídos de tus contertulios, o de tus compañeros de trabajo, o no sé... porque aquí nadie piensa en tirarte por una escombrera. Por eso el comportamiento de Abdelwahab y otros es ridículo.

Puedes hablar al mismo tiempo de política y de hamburguesas. Y nadie te abrirá un expediente.

Después de pasar un año aquí me asombro de cuánto he echado de menos mi miserable país. Echo de menos a la gente buena. Echo de menos el sol intenso y el invierno que a menudo pasábamos con unos zapatos viejos. Echo de menos al policía gordo que miraba más la cartera que los papeles del coche. Y al policía insolente que te menta la madre incluso antes de saber tu identidad. Echo de menos la ambulancia desvencijada, la estridencia de su sirena y al chófer que parece que sonríe, como si el olor de los cadáveres le produjera embriaguez. Echo de menos ver a dos conductores que charlan mientras interrumpen el tráfico. Echo de menos la imagen festiva del burro que tira de una carreta en la que van bailando unas mujeres rellenitas. Y ver a los hombres al final de sus vidas fumando tabaco barato sentados en silencio, como espectadores. Echo de menos el telediario aburrido y al pesado del locutor. Echo de menos las mentiras de los políticos y los intelectuales.

Echaba de menos las veladas poéticas a las que acudían los que habían fracasado en el amor buscando una compañera también fracasada y, la mayoría de las veces, indecente. Echaba de menos muchas cosas. Pero lo que más echaba de menos era un camarero huraño que, cuando llegaba al café, me miraba enfadado.

9

No sé por qué decidí robarle. Me pareció que iba tan borracha que más de una vez estuvo a punto de caerse. La calle estaba medio vacía y era muy tarde, casi las tres de la madrugada. Algo tenía que hacer aquella noche si no quería pasar un tercer día sin comer. Los dátiles que robaba del súper me permitían sobrevivir. Y agua, naturalmente, había por todas partes. Un agua con un sabor raro. Pero quería comer algo más. Quería hablar por teléfono con mi madre. Sentarme en una terraza y pedir algo. Contestar algunas cartas. El bolso de la inglesa despertó mi apetito de manera incontrolable. Me acerqué a ella y la oí tararear fragmentos de la canción *Do you miss me tonight* de Elvis Presley. Me fui acercando hasta caminar justo detrás. No lo pensé más. Ya no veía más que el bolso. Curioso. Era la primera vez en mi vida que conseguía concentrarme así. Tiré del bolso con fuerza y salí corriendo. Tiré con tanta fuerza que por poco se cae la mujer. Por un instante sentí que el mundo entero corría detrás de mí, que tenía que correr más y más.

De repente me volví. No había nadie. Corría yo solo en una calle oscura, agarrando el bolso con fuerza. Me detuve, lo abrí, saqué lo que había dentro y lo tiré. Debía deshacerme de todo y quedarme sólo con el dinero. Sin embargo, me quedé con todo lo que había dentro. Si tenía la mala suerte de cruzarme con un coche de policía, me vería obligado a dar explicaciones. Había visto a las gitanas que robaban a los turistas hacerlo así. Las había visto desde el balcón. A menudo había bajado a buscar los bolsos que tiraban a los arbustos que crecían tras el muro del hotel. Bolsos bonitos, de cuero, que guardaba en el armario con mi ropa, bolsos con muchos compartimentos vacíos. Las gitanas no esperan a que caiga la noche para robar, lo hacen a pleno día y delante de todo el mundo. Ellas roban bolsos, y yo los guardo entre mi ropa como recuerdos enigmáticos.

No recuerdo dónde tiré el bolso. Pero sí recuerdo a la mujer. Se dio la vuelta y la vi ahí quieta. No gritó ni intentó cogerme, se quedó parada, mirándome mientras yo desaparecía en medio de la oscuridad como un fantasma asustado. Por suerte no pasó ningún coche de policía. Regresé a casa deprisa. Cuando se cerró la puerta del ascensor saqué los papeles del bolsillo. Busqué billetes entre los papeles, pero desgraciadamente no encontré nada. Todo lo que había eran documentos, tarjetas y un pasaporte. Lo puse todo sobre la mesa, abrí la ducha y dejé que el agua cayera sobre mi espalda. Pensé por qué lo había hecho. No estaba arrepentido. En absoluto. Pero sentí un poco de angustia. Abrí el pasaporte y miré detenidamente la foto de la mujer. Una mujer hermosa nacida en Leeds en 1953. Tenía que ser Libra como yo, porque había nacido a mediados de octubre. Leeds. A mí me hubiera gustado proseguir mis estudios universitarios en la Universidad de Leeds. Pero no tuve dinero para pagar la matrícula. Recuerdo que un profesor árabe me contestó que estaba dispuesto a dirigir mi investigación. Y me aconsejaba también que mejorase mi inglés. Y que consiguiera algo que lo certificara. Le escribí una larga carta. Le explicaba que no tenía dinero suficiente para pagar la matrícula. Ni tampoco para matricularme tres meses en una academia en Rabat y mejorar mi pronunciación. Pero que deseaba verdaderamente proseguir los estudios. Además, hasta ese momento nadie había aceptado supervisar mi investigación. Todos los profesores me habían dado excusas ridículas. La mayoría prefería dirigir a alumnas que realizaban trabajos sobre viejas problemáticas de difícil solución. Una vez finalizada la tesina, la hice trizas y me olvidé del tema. Siempre hago lo mismo. Si me ocurre algo desagradable, se lo quiero contar a alguien, escribirlo con cuidado en una hoja blanca. Lo escribo a menudo con detalle y con buen estilo. Cuando acabo de contar todo lo que quería, rompo el papel en pedazos y lo tiro a la papelera o por la ventana. Asunto terminado. No vuelvo a pensar en ello. En realidad, no quería proseguir los estudios en Leeds. Mentí. Lo que quería a toda costa era irme del país.

Había pasado toda mi vida en las mesas de estudio. Es más, pensaba que no habría peor castigo que prolongar esa situación. En Marruecos, si consigues un doctorado, te puedes limpiar el culo con él. Eso es lo que te dan a entender con muchos rodeos. Pero a fin de cuentas, eso es lo que quieren, que te limpies el culo con el título. Por pensar que eras más listo que nadie y haber preferido seguir estudiando. Al terminar, ves que los que nunca iban a clase son los que deciden tu destino en el parlamento, en los ayuntamientos o donde sea. En definitiva, que te has convertido en el más tonto de todos. Y que el título no te vale para nada. Hasta que no aprendas a hacer pizza. Y eso es terrible. Porque la pizza acaba siendo a veces más importante que el doctorado. Al menos aquí, en este continente.

La mujer se llamaba J. Easton. En el pasaporte figuraba que era enfermera. Odio esa profesión. Debió de haberse gastado el dinero bebiendo. Por eso en su bolso vacío sólo quedaban los documentos de identidad. Una mujer borracha, dando tumbos por la calle a las tres de la madrugada, no podía ser más que una mujer arruinada. Y tal vez sola. Tenía que haberlo pensado.

Los ingleses no llevan más dinero que para la bebida y la pizza. Lo demás lo dejan en la habitación del hotel. Cuando se emborrachan y se quedan sin un duro se van a dormir. Tenía unos ojos de un azul muy intenso. Pasé un rato largo mirándolos. Me acordé de Suzane. La semana pasada me crucé con ella cuando salía del hotel. Me hizo una seña con la mano. Le dije que todavía estaba esperando. Sonrió y me dijo: «Luego te veo». ¿Luego, cuándo, Suzane?, le respondí para mis adentros. Juan, que estaba sentado a mi lado en la terraza del hotel me dijo: «¿A qué estás esperando, lobo?» Le comenté que le había dicho eso porque lo pronunciaba muy bien, y porque los ingleses siempre te lo dicen: *see you later*. Aunque no los conozcas. Lo dicen por respeto, aunque en realidad no piensan volver a verte jamás. No sé por qué dicen que los ingleses son un pueblo conservador. Aquí, después de la una de la madrugada, ninguno puede conservar ni siquiera el equilibrio en la calle. Vamos, ni el equilibrio ni nada. Suzane sale siempre del hotel en el que trabaja con un cigarro en la boca. No me gustan las mujeres que fuman. La mujer tiene que guardar algo de delicadeza y suavidad, cuando coge un cigarro es como si algo bonito se quemara lentamente. Y, además, cuando echa el humo por la nariz parece un pequeño dragón. ¿Y qué voy a hacer yo ahora con todos estos papeles que no me valen para nada? Está claro. Tengo que meterlo todo en un sobre grande y enviarlo a la comisaría. Y olvidar el asunto. Por un momento pensé en quedarme con el pasaporte para venderlo. Pero cada vez que miraba los ojos de la enfermera sentía vergüenza. Por eso decidí deshacerme de todo. Había robado el bolso con otro fin. Por lo menos tenía que ser un ladrón respetable. Aunque parece que en los tiempos que corren no es fácil ser un ladrón respetable. Antiguamente los poetas *saa-*

lik robaban a las caravanas de los ricos para redistribuir la riqueza entre los pobres. Quiero decir a los que eran más pobres que ellos. Porque esos poetas bandoleros también eran pobres. Urwa Ibn Al Ward siempre fue mi poeta más querido. Siempre lo respetaré. Un día empeñó su espada para dar leche a una madre indigente que llevaba un bebé hambriento en brazos. ¿Qué sería de Urwa si estuviese en Benidorm o Alicante? Sin papeles. Sin trabajo. Sin dinero. Y encima, se vería obligado a andar por ahí sin su espada. ¡Qué tonterías digo!

Robar libros o periódicos no te produce angustia. Todo lo contrario. Sientes que te invade una satisfacción incontenible. Como si hubieses librado al mundo de escritores pésimos y de periódicos que no hacen más que mentir. Siempre lo consideré un derecho. No me quedaba con los libros en casa. Cuando terminaba de leerlos, lo que rara vez ocurría, los vendía o se los regalaba a los amigos. En cuanto a los periódicos, los dejaba a propósito en la mesa del café y salía con las manos vacías. Me sentía más ligero. Pero robar un bolso es algo muy diferente. Sientes que robas y que no tienes principios. Robar es como afiliarse a un partido. Tienes que hacerlo con cierta convicción. Si no, te conviertes en un sucio oportunista, dispuesto a cambiar de piel en cualquier ocasión.

Caminando por la calle me imagino que el mundo entero me ha visto robar el bolso y salir huyendo. Que todos me conocen y me odian. De pequeño, cada vez que hacía una tontería cerraba los ojos. Pensaba que de este modo desaparecía. Que como no veía a nadie, nadie me veía. Ahora, de mayor, ya no puedo cerrar los ojos. Desgraciadamente no le haría gracia a nadie.

Este mes he cumplido veintiocho años. Parece que voy a entrar en los treinta sin futuro. Pero, ¿qué es exactamente el futuro? ¿Tener una casa, mujer y trabajo? ¿Militar en algo? ¿Tener hijos? ¿Amigos? ¿Prestigio social? ¿Viajar por el mundo? ¿Escribir libros? No sé. La semana pasada, Macarena me dijo que tenía que pensar seriamente en mi futuro. Que no sabía que las cosas estuvieran tan complicadas. Que el gobierno, que es bastante de derechas, no hace nada por los inmigrantes. Que ella no votó a Aznar porque es comunista. Siempre me río de su comunismo. No me lo creo. El comunismo se acabó. Porque la gente empezó a amar los bancos más que a Marx. Más los billetes que el carné de afiliado. Además, Marx resultaba ya un poco ridículo con esa barba cardada como un cojín destripado. El propio Che Guevara ya no servía más que para adornar camisetas veraniegas. Como Brian Adams. Los españoles no saben gran cosa acerca de los inmigrantes. Al menos las nuevas generaciones. Las generaciones anteriores vivieron la emigración durante la guerra civil y durante el régimen del general Franco. Y por eso conocen el infierno que es emigrar. Se fueron a México, Argentina, Francia y Alemania y a no sé qué otros lugares. Y ahora no se avergüenzan de sí mismos cuando, al ver a una persona de rasgos árabes, dicen: «Uuuh, ya han vuelto esos moros!».

10

Lunes. Seis de la mañana. He llegado a Madrid. Aún no ha despuntado el día. El autocar nos ha dejado en la Estación Sur. El lugar parecía tranquilo. Ni rastro de las patrullas que están habitualmente al acecho de extranjeros de aspecto sospechoso o con muchas maletas. O tan sólo por ser de otro color. En Madrid, como en todas las capitales europeas, es mejor no coger un taxi si no sabes exactamente dónde estás y adónde vas. ¡Y eso si tienes dirección! Me subí en un autobús que iba al centro. Desde el corazón de la ciudad puedes ir adonde quieras. Por fin llegó un amigo y me sacó del laberinto. Por suerte, su casa estaba en el centro. En uno de los barrios antiguos de Madrid. El autocar era cómodo, pero no me gusta dormir durante el viaje. No soporto la idea de que me vean dormido como un tronco en el asiento. Me imagino con la boca abierta, dando cabezadas en todas direcciones. Veo a algunos viajeros en ese estado y no me gusta. Prefiero quedarme despierto todo el tiempo. Normalmente viajo de noche. Porque a esas horas es más improbable que suba la policía. Y también prefiero viajar de noche porque aprovecho para pensar. En un autocar no puedes pensar en nada concreto. Aunque puedes pensar en casi todo. No sé por qué me acordé de aquel remoto día en que le dije a mi madre que quería ser militar. Recuerdo que me amenazó con echarme de casa si lo repetía. No ha habido militares en la familia. Todos somos civiles. Si me hubiera hecho militar habría tenido mucho tiempo para escribir cartas, mi afición favorita. Cuando acaban las guerras, se juegan los sueldos a las cartas en los cuarteles. Por eso las mujeres de algunos militares cambiaban de dirección sin saldar aquellas deudas que mi abuelo apuntaba en un viejo cuaderno. Yo habría escrito cartas. Largas cartas a gente desconocida. Seguro que recibiría respuestas. Escribiría que la guerra no es un sol negro que hace madurar a los hombres, como dijo alguien. Los soles negros no existen. Sólo hay un sol que se levanta cada mañana. El arma pesada, el uniforme y las arenas. Dunas eternas de arena. Y, de vez en cuando, cadáveres. Eso es todo lo que hay en la guerra. Cuando crecí supe que jamás sería militar —porque no hay nada peor que la guerra— ni profesor de universidad, como siempre quiso mi madre. Decidí dejarlo todo y marcharme.

Múhsin también lo dejó todo y se fue de Irak. Nos sentábamos y hablábamos mucho por la noche cuando regresaba del trabajo. Múhsin había participado, en contra de su voluntad, en la guerra contra los curdos. Dice que no había más remedio que meterse en medio del fuego, porque en la retaguardia te ejecutaban si desertabas del frente. Por la mañana me llevó a dar un paseo por el centro. Pasamos por la Puerta del Sol, luego por la Plaza de España y tomamos un café en la calle de Tetuán. Me dijo que hay una plaza en la que se reúnen casi todos los marroquíes, que ha acabado llevando su nombre. Allí van los vendedores de hachís y de cosas robadas: móviles, ropa, relojes, de todo. Por eso en la plaza merodea la policía secreta. En Madrid, los argelinos han cedido la mala fama a los marroquíes. Los argelinos prefieren Alicante porque los barcos que vienen de Orán los dejan allí en el puerto. Madrid les da miedo por los continuos cacheos en la calle. Tener la piel morena es razón suficiente para que te paren delante de todos y te registren los bolsillos. Y para expulsarte si no tienes permiso de residencia. Y no hay castigo más duro en el mundo para un argelino que ser deportado a su país. Después de haber disparado balas en el ejército iraquí, ahora Múhsin había lanzado una revista cultural trimestral en Madrid. Con pocos medios y con la colaboración de su amigo Abdelhadi intentaba hacer algo en medio de tanta añoranza. Con los poemas, los cuentos y las cartas, el exilio se hacía menos doloroso. En realidad, no entiendo qué les ha ocurrido a los iraquíes para acabar así. Me acuerdo de aquel profesor iraquí que nos enseñaba inglés en el instituto. Lo elegante que era. Tras la Guerra del Golfo se perdió en el mundo como un refugiado más. Le dije a Múhsin que a Bagdad le habían echado el mal de ojo. Me respondió que Irak siempre había sido así. Que nunca pasaban más de diez años sin que Irak entrase en guerra. Me acordé del verso de Sayyab... *No pasa por Irak un solo año sin hambre.* Al día siguiente Áhmed el palestino nos invitó a su casa. Hizo una comida en nuestro honor. Áhmed comparte un piso pequeño de dos habitaciones con otro amigo palestino y un español que trabaja de mecánico. Un perro enorme viene del primer piso a comer de la mano de Áhmed. Le habla un buen rato en español. Me dijo que era un perro español, que no entendía otra lengua. Áhmed es un refugiado político a quien le gusta reírse de todo. Desde la OLP hasta del anuncio de una marca de leche que muestra a un africano delgado y negro que encuentra un paquete de leche en medio del desierto. El hombre delgado sonríe, coge el paquete y se va contento. Luego en la pantalla aparece escrito *Leche Pascual... La leche del futuro.* Dice que ese anuncio es racista. Después de comer, Áhmed me invita a llamar por teléfono. Me dice que puedo hablar hasta con la Conchinchina y todo el tiempo que quiera. La oferta me sorprendió, y me explicó que de todas formas no iba a pagar la factura del teléfono. Y que lo más probable es que le cortaran la línea la semana siguiente. Tiene un móvil. Suficiente para ponerse en contacto con él en cualquier momento.

Llamó también una amiga siria que vive en Madrid y la animó a que lo visitara en los próximos días para llamar a sus padres a Siria. Y añadió que podía hablar todo el tiempo que quisiera. A la amiga le gustó la idea. Naturalmente llamé a todos mis amigos, a la familia, y marqué algunos números a los que no solía llamar por falta de presupuesto.

Dice Áhmed que es su manera de vengarse del capitalismo, de la Conferencia de Madrid y de todas las fuerzas contrarias al comunismo. A la mañana siguiente me levanté temprano. Sin desayunar siquiera me subí al primer taxi que encontré en la calle. Me bajé enfrente del consulado de Marruecos en Madrid. Entré con la ilusión de que sería el único visitante matutino. Pero me quedé sorprendido cuando pasé a la sala de espera. El aire acondicionado no funcionaba, y la sala estaba sumida en una atmósfera cargada. Me puse en la fila a esperar mi turno. Desde que llegué a este continente no había tenido que hacer cola ni una sola vez. Ni nadie me había pisado. Llegó mi turno, y la funcionaria me preguntó amablemente que qué quería. Le entregué mi pasaporte y un papel en el que se explicaba qué tipo de documento necesitaba. Cogió el pasaporte y el papel y me dijo que esperara un poco. Salí a esperar fuera de la sala. Me dio la impresión de haber entrado en otra época. O, mejor dicho, de haber vuelto a otra época. Al rato escuché mi nombre. Me acerqué a la ventanilla donde se pagaban los documentos, saludé y me agaché un poco para poder escuchar lo que me decía la funcionaria. Me preguntó si tenía permiso de residencia. Le respondí que no tenía más documento que el pasaporte. Me dijo que el consulado no podía expedirme el documento porque no estaba registrado en él. Bueno.

Le pregunté que qué tenía que hacer para registrarme en su consulado. Me contestó que era necesario presentar una fotocopia del permiso de residencia, una fotocopia del pasaporte y una fotografía. Por un instante sentí que era incapaz de probar que era una ciudadano marroquí en el consulado de mi país. Bueno. Entonces le pregunté que qué debía hacer si sólo tenía pasaporte. Me dijo que tendría que hablar con el vicecónsul. Tenía que esperar porque en ese momento no estaba en su despacho. Abandoné de nuevo la sala, asombrado de que a esa gente no le diese vergüenza atender a los emigrantes a través de una ventana tan pequeña. Como si tuvieran algo contagioso. No pude esperar. Subí las escaleras al piso de arriba y entré en el primer despacho. Uno de los funcionarios me preguntó que qué quería. Le conté la película. Se disculpó diciendo que era el representante de la banca y que no tenía nada que ver con esos temas. Por supuesto que no tenía ninguna relación con esos temas. Porque lo único que les importa son las divisas de los emigrantes que se dejan la vida matándose a trabajar. Entré a otro despacho y expliqué a otro funcionario lo que quería. Me dijo que, como vivía en Alicante, tenía que solicitar el documento en el consulado de Marruecos en Barcelona. Le respondí que ahora vivía en Madrid, en un intento de saber qué posibilidades tenía de obtener ese documento. Me respondió que registrarse en el consulado era absolutamente obligatorio. Volví a bajar por las escaleras, empujé la puerta del despacho y entré. El vicecónsul estaba sentado a su mesa. Nada más verme me gritó que estaba prohibido entrar. Yo no comprendía cómo podía prohibirse a los emigrantes marroquíes entrar en el despacho de su vicecónsul. Lo repitió dos veces dando voces. Me costó digerir sus gritos. Pero no me moví del sitio. Le dije que sólo quería saber lo que tenía que hacer para que Su Excelencia me recibiera. Pienso que la oficina se creó fundamentalmente con ese objeto, para recibir a la gente y solucionar sus problemas. La funcionaria vino hacia mí y en voz baja me dijo que tenía que salir del despacho, volver a la ventanilla y hablar a través de ella. Sentí que mis nervios se tensaban. Al final, la funcionaria me llamó y me pidió el pasaporte. Luego sacó un documento desvaído y, con destreza, le estampó un sello que llevaba la fecha del día y le pegó algunas pólizas en el margen. Le pagué el importe y le dije: «¡Vaya recibimiento!» Salí de allí indignado con todo. Con el consulado. Con el aire acondicionado. Con el tiempo. Afuera llovía. Regresé a casa en silencio. Pensé que lo que me había ocurrido esa mañana era una curiosa paradoja.

Los que tenían que pedirme la tarjeta de residencia nunca lo habían hecho. Y al consulado de mi país no le bastaba con mi pasaporte para corroborar mi identidad. Había observado que en la sala de espera la mayoría de la gente, sentada en silencio, tenía una mirada hosca. La misma hosquedad taciturna que puedes ver en Casablanca en la estación de autobuses o en cualquier lugar de la desagradable Administración.

91

Por la tarde, le conté la escena a Múhsin. Me dijo que unos amigos suyos iraquíes habían pedido un visado en el consulado marroquí para entrar en Marruecos, pero que fueron rechazados. El mismo rechazo que Áhmed había experimentado cuando pidió un visado para entrar en Siria. A los palestinos siempre les ha pasado lo mismo. Se mueven entre fronteras como mercancías de contrabando. Múhsin vuelve tarde de trabajar, por eso solemos hablar al acostarnos. Entre su cama y la mía, fluye la conversación hasta que nos embarga el sueño. Hablamos de Irak. De los papeles. De poesía. Por la mañana, cuando me levanto, ya no está. Se ha ido a trabajar temprano. Me acuerdo de Áhmed el palestino. Y de su ironía con el anuncio de la leche Pascual. Me acuerdo también de aquel negrito que adornaba los paquetes del café Brasilia. Un negrito levantando una taza llena de café. De niño, esta imagen me fascinaba de un modo curioso. Sus músculos prominentes, su pelo ensortijado como granos de café, su atractiva sonrisa..., me daban ganas de liberarlo. Porque sentía que estaba preso en el paquete de café. Por eso lo dibujé en una hoja blanca. Pero su sonrisa no era tan alegre como la del paquete. Supe que él no estaba satisfecho con el resultado. Cuando mi madre empezó a comprar café Dubois, me olvidé del negrito. El nuevo paquete no necesitaba músculos de nadie. Porque era más barato que el Brasilia. Yo era un niño que todo lo dibujaba. Ahora soy un hombre que dibuja cosas en la arena. Luego viene la ola y lo borra todo.

11

Encontré trabajo en un restaurante llamado Pizza César. Por fin aprendí a hacer la masa de la pizza y meterla al horno con todos los ingredientes. Hay muchos tipos de pizza. Justo lo contrario de lo que pensaba antes. En el restaurante hacemos la pizza César, la Romana, la Real, la Capri, la Súper-Sobre, la Hawai, la Oriental, la Golda. No sé por qué siempre que Alfonso me pedía que hiciese una pizza Golda me acordaba de Golda Meir y me venía a la mente su imagen, con su enigmática sonrisa y su rostro desagradable; no entiendo cómo Nixon pudo decir que era el rostro más bello que había contemplado en su vida. Por eso esta pizza la hago muy mal. No amaso bien la pasta. Y a veces la dejo en el horno hasta que se queman los bordes. El dueño del restaurante se llama Jack. Sus amigos le llaman Jacob, porque es judío. Cuenta que pasó su infancia en la judería de Casablanca antes de marcharse a Francia y de ahí a Canadá, donde vivió treinta años. «No hay ninguna parte del mundo a la que no haya ido», me dijo sonriendo. Jacob lleva el restaurante él mismo y hace la comida. Aunque no ve muy bien, no se equivoca en las cantidades. Siempre tiene las gafas empañadas por vapores y frituras. Me dijo que me iba a dar un pasaporte universal. Se refería a la pizza. «Si aprendes a hacer pizza puedes encontrar trabajo en cualquier parte del mundo. Hasta en Puerto Rico, si quieres». Jacob es el segundo judío para el que trabajo. Antes lo había hecho en el restaurante de Jesús. Jacob era agradable. No como el gordo de Jesús, que se tragaba la comida como un búfalo y arrojaba los sobras a la acera del restaurante. Mi sueldo era ridículo. Pero podía comer allí. No tenía ni un duro y no me quedaba más remedio que aceptar el trabajo en esas condiciones. Jesús siempre buscaba a inmigrantes para que trabajasen con él. Sabe que todo el que empieza a trabajar, se va al cabo de una o dos semanas. Si no es por los inspectores de trabajo o por la policía, es por el salario miserable que a Jesús no le avergonzaba pagar cada semana. La pizza es como la poesía. Hay muchas clases de pizza, como en poesía hay muchos metros. La diferencia es que si aprendes poesía te convertirás en un poeta, lo que desgraciadamente hoy en día no sirve para nada. Pero la pizza sí te puede servir, porque se vende muy bien. No como los libros de poesía que se los come el sol en los quioscos. Manuel dice que el mundo está a punto de consumir la basura que ha producido y acumulado en los últimos cien años por todos los rincones del globo terráqueo. El día en que no haya nadie para limpiar el campo, los animales se la comerán mezclada con excrementos.

Así explica Manuel las catástrofes que acontecen en el mundo. Está preocupado por el aumento de la temperatura y el cambio climático. Su cuerpo delgado me parece un termómetro de alta precisión midiendo la temperatura del mundo. Cuando me siento con él en la terraza del restaurante me enseña sus brazos y me dice que sin la espesa crema que se unta cada mañana antes de salir de casa, lo habría matado el sol. Siempre tiene manchas rojas en los brazos. Y su cuello parece el de una gallina que acabara de salir de una pelea. Manuel no sabe si tiene cáncer de piel, pero está muy preocupado por las manchas rojas. A veces le echa la culpa a los turistas diciendo que las sillas en las que nos sentamos pueden estar infectadas. Dice que ha visto a gente paseando con las extremidades al aire cubiertas de pústulas.

Cuando pongo los platos en el lavavajillas, dispongo de un rato libre que aprovecho para salir de la cocina, respirar un poco de aire y contemplar el mar, a la espera de ese sonido que emite cuando termina de abrillantar los platos. Me sabía al detalle lo que ocurría allí afuera. Sabía la hora en la que cruza esa chica deslizándose en patines, la hora a la que viene el mendigo flaco que se pasa la vida imitando a los transeúntes de una manera graciosa en las terrazas de los cafés. Algunos se ríen y otros se asustan a causa de su extraño aspecto. Los turistas que se relajan al sol en las sillas del café se mondan de risa. Sé la hora a la que pasa ese mejicano enorme con un bigote que le cubre la mitad de la cara y por cuyas venas corre mala sangre. Se detiene delante del café y ejecuta una danza que no se corresponde con su aspecto repelente, después de coger de la mano a la chica inglesa que sirve de reclamo a los turistas, intentando convencerlos de los precios del local, y luego sigue, tras levantar la mano y saludar al inglés que se parece al señor Berns de la serie de *Los Simpsons,* y que repite sin aburrirse las mismas canciones cada mañana. En cuanto escucho el sonido del lavaplatos, regreso a la cocina, saco los platos y los ordeno en la barra. Acabé teniendo una relación extraña con esa máquina. Pensaba que me llamaba y que sabía mi nombre, lo mismo que Alfonso.

No sé por qué se ha vuelto tan nocivo el sol. A veces me asusta ver a esos ingleses que pasean semidesnudos con los cuerpos repletos de quemaduras de segundo grado. Manuel me preguntó que dónde echábamos la basura en Marruecos. Le dije que no sabía. Tal vez la queman o la echan al mar. Nada más decirlo, recordé las montañas de basura que había visto en las afueras de Casablanca. Al quemarse, el aire huele a basura y nubes negras cubren la ciudad. Me acordé de una vez que fui al Centro de Formación del Profesorado para realizar las pruebas de acceso. Aquella mañana había llovido mucho. Una lluvia que me salpicó de puntos negros la camisa blanca. Las gotas que caían de los árboles también eran negras. Pero no importa. Porque entré en el anfiteatro a las nueve y salí a las nueve y media. Creo que las preguntas eran sobre un texto de Zamajsharí. Odio la gramática y la métrica. Jamás llegué a diferenciar un pie de otro. Porque pensaba que la poesía era exactamente eso: no poder diferenciar las cosas. Jacob es un judío comprometido con las enseñanzas de su religión. Dice que aquí no come carne porque no está sacrificada por el rabino. Me dijo también que si quería, que no tocara las lonchas de jamón, si esto me podía incomodar. Jacob siente miedo de un modo extraño. Se sobresalta al oír el teléfono. Y cuando quiere encender el horno de gas no lo consigue porque titubea al acercar la cerilla. Me dijo que si entraba en el restaurante un hombre elegante con una cartera en la mano, que saliera por la puerta trasera. Y si me cogía en la cocina, tenía que decirle que no estaba trabajando, que estaba buscando el baño y me había confundido de camino. Pero hasta ahora no ha venido nadie con traje elegante y con cartera. La mayoría viene en traje de baño. Jesús no me había puesto sobre aviso respecto a gente así. Tal vez porque le daba igual. Abdelwahab dice que Jesús conoce a gente importante. Que trapichea con drogas. Y que se compró el restaurante como tapadera. Yo creo que se compró el restaurante para engordar más. Como pesa tanto, su andar parece el de un cocodrilo perezoso reptando con lentitud.

Ayer Alfonso puso los vasos vacíos en el lavavajillas, me miró sonriendo y me preguntó si conocía a Abu Abdallah, Boabdil, como él lo llamaba. Hice como que no sabía de qué me hablaba para conocer su versión. Y como un alumno aventajado, contó que Boabdil era el último de los reyes árabes que expulsaron de Alándalus. El rey Fernando lo apresó, le cortó las dos orejas y lo echó al otro lado del mar. Le dije que tal vez Abu Abdallah estaba solo, sin apoyo árabe para defender su reino. Alfonso me respondió riendo que el rey moro tenía que salir de Granada de todas formas porque la reina Isabel y el rey Fernando, su esposo, querían subir al trono, y que el tiempo de los moros en España se había acabado. Bromeando le dije que ahora estábamos volviendo de nuevo. Cierto que ahora no éramos soldados de un ejército, ni teníamos un jefe que se pareciera a Táriq Ibn Ziyad, pero invadíamos Alándalus de nuevo. Alfonso se rió y dijo que es muy distinto venir a un país en busca de pan que como conquistador. Los conquistadores no invaden un país sólo para doblar la espalda cogiendo tomates. Cierto es también que los conquistadores no hacen pizza, ni trepan a los árboles para coger fruta. Dije yo. Nos reímos juntos. Alfonso se fue a atender a una pareja que había entrado al restaurante. Puse la masa sobre el mármol blanco y empecé a amasarla con todas mis fuerzas. Pensé que Alfonso tenía razón. Ser conquistador es diferente. Nuestros antepasados no amasaban la pasta en Alándalus. Pasaron muchos siglos creando una grandeza que no merece ahora que los españoles inmortalicen en una celebración ingenua que no consiste más que en recordar a las nuevas generaciones la derrota que aconteció a los moros. Pero Fernando no había cortado las orejas de Abu Abdallah, como dijo Alfonso bromeando. Por lo menos el libro de Amín Maaluf *León el Africano* no relata esa farsa. Aunque no puedo estar seguro, ya que no llegué a terminarlo. Lo llevaba conmigo sólo cuando cogía el autocar de un sitio a otro. Apenas leo si no estoy de viaje. Necesito ver que los árboles se van quedando caídos atrás para sentir que avanzo más y más hacia adelante. De niño, cuando cogía el autocar tenía la sensación de que los postes de teléfono y los árboles iban quedándose caídos atrás según avanzaba éste. Todavía hoy estoy convencido de que se van cayendo. Pero en el camino de vuelta, los árboles, los postes de teléfono y todas las cosas siguen en su sitio. Lo que caía era otra cosa que no podía ver. Algo que caía en mi interior y no volvía nunca a ocupar su sitio.

Cuando las cosas iban bien en el restaurante y atendíamos a mucha gente, Jacob sonreía, mostrando sus dientes que, aunque los tenía amarillos, no le faltaba ni uno. Luego se ponía a entonar breves fragmentos de oraciones que yo no comprendía, pero que eran bonitas. Decía que cuando era joven había participado en un concurso de canto en el cine Rialto de Casablanca y que ganó una botella de Martini de premio. Cuando llega el sábado, Jacob se pasa todo el día sentado en una silla. No hace nada de lo que suele hacer el resto de los días. No habla de nada que tenga que ver con el restaurante. Dice que el sábado es día de descanso. Y que como es un día sagrado no hay que ensuciarlo con las cosas y nimiedades de la vida.

Alfonso dice que tengo que fijarme muy bien en todo. En cómo se hace la comida. En cómo se prepara la ensalada. Cuánto tiempo tiene que estar la pizza en el horno. Dice esto porque piensa que quiero pasar el resto de mi vida en una cocina.

Es cierto que es una buena profesión y que da dinero como ninguna otra. Pero yo no puedo soportarme a mí mismo en la cocina. Suele hacer mucho calor y el aire está espeso y cargado a causa de las frituras. Áhmed, el argelino, no se había ido de Oliva. Lo llamé y me dijo que todos los días mira los árboles esperando que maduren las naranjas. Le dije que me avisara cuando llegara el tiempo de la recogida. Echaba de menos el subirme a los árboles y llenar los remolques con cajas. Echaba de menos contemplar el sol saliendo de detrás de las montañas y ocultándose por la tarde, mientras desaparecía detrás de otras montañas. Trabajar en plena naturaleza es algo increíble. Por fin te das cuenta de que el día comienza y termina. Y que recibes ese final con satisfacción. Porque lo has seguido desde el principio. Comprendes por fin que el día tiene que tener un final. Lo ansías. No es igual cuando trabajas bajo techo. No percibes cómo pasa el tiempo. Y cuando llega la tarde te quejas y le dices a tu compañero que el tiempo ha pasado muy deprisa y que la semana ha pasado volando. A veces pienso que si la clase trabajadora tuviese el privilegio de contemplar el sol a lo largo del día, no se quejaría del tiempo. Incluso a Marx se le pasó por alto. Porque un descubrimiento así sólo puede provenir de un trabajo sobre el terreno. Es decir, que Marx tendría que haber abandonado su despacho y haberse acercado a los campos a trabajar todo el día bajo el sol, para haber llegado a esta idea. Pero no lo hizo. Y por ello no llegó a ninguna conclusión de esta índole. Incluso si hubiese ido, su barba le hubiera impedido trabajar. En el campo todos nos ponemos gorras, porque las ramas se enredan con el pelo. Y por tanto entorpece el trabajo. La barba de Marx se merece trabajar en el campo. No sé por qué me dice Jacob que mi futuro está en América. También me dijo que, si pensaba ir a Israel, me podía conseguir trabajo con uno de sus amigos en Tel Aviv. Que no me arrepentiría. Israel. Jamás se me había pasado por la cabeza nada parecido. «En España no hay sitio ni para los árabes ni para los judíos», repetía Jacob. En mi cabeza rondan otros lugares. Londres. Boston. No sé adónde iré. A veces pienso en volver a casa. Luego lo pienso mejor y me digo que ese camino es de una sola dirección, que si regreso no podré volver a salir con facilidad. Aquí he aprendido a no coger caminos de una sola dirección. Tienes que ser como un conejo. Hacer una casa y ponerle dos puertas o tres, si es posible.

Aunque el sábado es un día sagrado para Jacob, se echa un trago entre meditación y meditación. Bebe y contempla el mar tranquilo frente a él.

12

La semana pasada recalaron en casa unos amigos marroquíes. Venían de Lisboa, donde habían participado en un festival internacional de la juventud con motivo de la Expo. No sé cómo consiguieron mi dirección. Pero dieron conmigo fácilmente. Fue una sorpresa. Me llenó de alegría ser anfitrión de esta delegación. Por fin me sentía útil. Conocía a algunos de ellos desde la universidad, donde amenazábamos con años en blanco, luchando por cosas que ahora desde este exilio parecen ridículas. Algunos militaban en partidos de lo que se denomina izquierda. He escuchado en las noticias que esta izquierda ha llegado al gobierno en Marruecos. No sé cómo van a resolver el problema de esos luchadores que dejaron sus partidos y se afiliaron a otro combate contra el pan, el tiempo, y la desolación en este continente melancólico. Aquí todo el mundo repite que José María Aznar es el único de derechas en toda Europa. Y que tiene que irse para descansar, para dejar el sitio a los socialistas. Tras el reciente ascenso de la izquierda en Alemania, los españoles no tienen más elección que disparar el tiro de gracia a la sien de la derecha. Pero ya han probado el gobierno socialista de González y han acabado diciendo de ellos que no eran más que un atajo de ladrones. Incluso últimamente han enviado a alguno de sus dirigentes a la cárcel en un tardío ajuste de cuentas. A veces los pueblos buscan un cambio. Pero el lobo sabe cómo esconder sus colmillos bajo la piel del cordero. No importa. Cada uno de los de la delegación que venía de Lisboa se había hecho sus planes. Unos habían decidido quedarse en España. Otros tenían conocidos en Francia o Alemania. Tras una semana de refugio económico en mi piso se desperdigaron por el mapa antes de que expirara el visado. Lo que les hubiera obligado a quedarse donde estaban. Porque las fronteras en este continente están vigiladas día y noche. El aspecto es suficiente para que te paren, te bajen del autobús y te cacheen hasta el último pliegue de tu cuerpo. A veces te piden que les sigas al interior de un cuartito, que te quites toda la ropa y, luego, que cojas algo que tiran al suelo. Te lo piden sólo para que te agaches. Para que no quede ninguna parte de tu cuerpo fuera del alcance de su mirada escrutadora. Lo hacen porque algunos traficantes llegan a meterse el hachís en el culo. Aunque la mayoría de las veces son descubiertos por esos perros terroríficos que huelen a los árabes a una distancia de años luz. Cuando cruzábamos la frontera española para entrar en territorio francés, yo no sabía que el coche de Cedrique estaba repleto de hachís. Íbamos cuatro personas en el Opel. Cedrique al volante, junto a un joven marroquí de Uxda con pasaporte francés, y Jáled y yo en la parte de atrás. Al cruzar la frontera francesa, a través del cristal empañado vimos el coche de Mustafa parado en el arcén y los perros mordiendo las ruedas con voracidad. El olor del chocolate los había estimulado de una manera espantosa. Mustafa estaba echado en el suelo, mojado a causa de la lluvia que no había cesado día y noche. Eran aproximadamente las tres de la mañana, y el viento, que sopla normalmente fuerte en Andorra, era más fuerte que nunca. Yamal también estaba en el suelo, con las manos en la espalda. A Mustafa le había dado un ataque de rabia. Pero sus manos esposadas le impedían moverse. Sólo los gritos e insultos que profería en un francés obsceno igualaban el silbido del viento. Hadi estaba solo, de pie, frente a un coche de la policía de fronteras. Con las manos en alto, como si estuviera haciendo la oración. Porque el policía de fronteras no había terminado todavía de cachearlo. Nos detuvimos un instante como los demás coches, que reducían la velocidad para contemplar la escena. Vi lágrimas en los ojos de Yamal. Yo sabía que él era inocente, porque era un joven con estudios que no tenía relación alguna con el mundo del contrabando. Antes de montar en el coche en España tomé un café con él, y me habló de las ganas que tenía de ver París. Decía que España no le iba. Mustafa le había conseguido un pasaporte francés falsificado. Más adelante me enteraría de que Yamal había pasado en una cárcel francesa cerca de un mes y medio por tenencia de documento falso. Mustafa se volvió, muy nervioso, a insultar a los coches que se paraban a contemplar la escena, y su mirada se topó con nuestro Opel. Inmediatamente se puso a gritar en dialecto argelino, sin mirar hacia nosotros, lo que quería decir que abandonáramos el lugar rápidamente y que hiciésemos llegar la mercancía a sus dueños. En ese momento comprendí que también yo podía ir arbitrariamente a la cárcel, con los asesinos y todo tipo de desechos humanos. A toda velocidad pasaron estas posibilidades por mi mente como en una película de miedo. Miré a Jáled pidiéndole una explicación por lo que Mustafa había dicho. Me replicó que tan sólo se trataba de unos kilos de hachís en el motor del coche. Lo dijo sin dejar de mirar a los terroríficos perros que ladraban como fieras escapadas de una trampa. Cedrique comentó que no me preocupara, que el apresamiento del coche de Mustafa encubría nuestro coche. Por un momento pensé en bajarme y buscar cualquier otro medio para seguir. Pero el mal tiempo y mi situación de indocumentado, que no me permitía entrar en territorio francés, me hicieron preservar la calma hasta haber cruzado la frontera.

En cuanto el coche arrancó y entramos en la carretera, el cuentakilómetros no bajó de 160. Todos estaban de acuerdo en que el coche volase para llegar a París. En cuanto llegamos a casa de Mustafa en los suburbios, cada uno de nosotros se buscó un lugar para dormir. Cedrique desconectó el cable del teléfono antes de tumbarse en el sofá. Fui el último en quedarme dormido. Me venían a la cabeza esas escenas tristes. La lluvia cayendo. Yamal y Mustafa en medio del charco. Los perros ladrando. Y los policías con sus armas apuntándoles con firmeza. Mustafa no tenía miedo del arma que le apuntaba a la cabeza, incluso se movía e insultaba con desprecio. Estaba furioso como un toro español banderilleado. Pero Yamal estaba roto, como si contemplara delante de él la destrucción de un bonito sueño. Todo el tiempo que pasó en España estuvo soñando con París y sus institutos universitarios. Hace años había estudiado en uno de esos institutos . El último deseo de su abuela, al morir, fue que su alma cansada reposase en Orán, y Yamal se encargó de repatriar su cuerpo a una tumba en la patria. Nada más regresar, fue llevado al ejército para cumplir con dos años de su vida el servicio militar obligatorio. Eso terminó con las clases de ingeniería y comenzó con las clases de matar y disparar a enemigos difusos a los que había orden de liquidar desde los helicópteros Apache. Cuando terminó lo del ejército, consiguió un visado para España. Ahí se quedó, suspirando por la ingeniería y por París. Y por todos los que vio morir en las montañas de Argelia mientras él apretaba el gatillo para abatir enemigos difusos en los que el régimen veía una peligrosa amenaza civil.

Uno de los amigos de la delegación marroquí me dijo en Barcelona que la prensa portuguesa se había solidarizado con la juventud marroquí. Que les habían propuesto quedarse en Portugal a cambio de un salario mensual simbólico. Pero que los jóvenes marroquíes se mostraron cautelosos. Como si hubieran olido con su olfato político, no con la nariz, que algo se estaba cocinando. Y rechazaron esta amable oferta que nunca habrían dejado escapar en su país, alegando que, a pesar de lo dura que allí era la vida, estaban muy unidos a su tierra.

Esta semana he empezado un nuevo trabajo. Comienzo a las ocho y media de la tarde y salgo a las cuatro y media de la madrugada. El café está en un callejón estrecho que se llama Alameda. Un callejón precioso que me recuerda siempre las callejuelas de Salé donde está el cine Colisée. Aquel cine en el que además de la película podías ver otras muchas escenas divertidas entre el público: los viejos que, apenas se apagan las luces, se sumergen en un sueño eterno al que sólo ponían fin los saltos de los niños por encima de las butacas para llegar a la salida, en cuanto empezaban a aparecer los créditos. En el callejón hay árboles verdes todo el año y bancos bonitos dispersos por todo el camino. Bancos de madera que a nadie se le ocurre arrancar. Me encanta ese callejón. No porque tenga nombre árabe. Eso ya no me importaba. Me gusta porque es estrecho. Y umbrío. El trabajo en ese café requiere esfuerzo físico. Siempre hay cajas de Coca-Cola que subir al almacén del segundo piso. Las bolsas de hielo están en grandes congeladores en el tercero. Tengo también que bajarlas a las cinco barras que tiene el café en la planta baja. A la una de la mañana es imposible entrar. Porque los clientes están apiñados, bailando. La mayoría son españoles a los que les encantan las canciones populares, la samba, el flamenco y las canciones revolucionarias de América Latina. Canciones sobre los pobres de México y Perú, regímenes autoritarios, fusilamientos y otras cosas que no podía entender debido a las carcajadas y chácharas de los borrachos. El local está decorado al estilo mejicano. Por eso parece un antiguo bar de carretera. No sé por qué llamaba proletariado a esos clientes fieles a sus bebidas, bailes y lugares. Tal vez porque para mí representan a la clase trabajadora, que pasa todos los días de la semana en trabajos penosos, en fábricas, en la construcción, en almacenes de envasado, esperando a que llegue la noche del viernes y del sábado para explotar cantando, bailando y bebiendo hasta el amanecer. Yo sólo trabajo viernes y sábados por la noche. Aunque no tengo contrato, tengo un sueldo respetable. En ocho días de trabajo gano lo mismo que un profesor de primaria en Marruecos en un mes. Los responsables del café son jóvenes que no se preocupan por el origen de las especies. Algunos ni saben dónde está Marruecos en el mapa. Lo que de alguna manera les conviene. Dar trabajo a alguien sin contrato les exime de pagar la Seguridad Social. Trabaja conmigo un polaco. Me peleé con él al segundo día. Se había pensado que yo era uno de esos animales que no saben más que recibir órdenes. Y porque llevaba más tiempo que yo se creía importante. Le dije que no había que tener ningún título para levantar cajas. Por lo que debía dejar a un lado su filosofía y compartir conmigo el cansancio. Y desde aquel día trabaja sin hacer comentarios. Por su culpa aumentó mi odio a Europa del Este. Ahora estoy convencido de una cosa: si aceptas trabajar como un burro, todos te pedirán que continúes haciéndolo. Al final nadie te lo reconocerá y te harán más reproches. Y si rechazas trabajar de esa manera, y lo haces como a ti te gusta, todos te respetarán. Y si te enfadas, todos empiezan a temerte y toman en consideración tu existencia. Esto es así, creo, en todos los ámbitos. El que acepta agradecido llevar a los demás sobre su espalda no tiene que enfadarse si los demás no quieren apearse.

A Natalia le gusta mucho mirarse en el espejo que está detrás de la barra. Parece más preocupada por su melena que por los clientes, que prefieren beber en esa barra para poder conversar con ella. Natalia es inteligente. Dice que los clientes son así siempre. Hay que sonreír a cada uno y guiñar el ojo aquí y allá para que dejen los traseros pegados a las sillas. Natalia es una rompecorazones. Distrae a los clientes, y todos la adoran. Siempre le digo que es una gran actriz. Sonríe y dice que la vida es una película mala y llena de actores fracasados. No sé por qué me preguntó si era verdad que en Marruecos cambiábamos a las mujeres por mercancías. Le dije que sí bromeando. Y que cada cual tenía su propio harén. «Ohhh! Es terrible...», dijo. Me reí y le dije: «Natalia, te llevaré a Marruecos para que veas todo eso». Dijo que era una idea genial. Sí, genial. Serás muy feliz haciéndote fotos con serpientes rencorosas en Xemáa el Fná o con monos desgraciados, amaestrados para pedir. Te asombrarás de todos los jóvenes que se ponen brillantina y van de aquí para allá buscando una turista solitaria y distraída en la que ven un futuro incierto. Naturalmente que todo esto lo dije para mis adentros. Porque Natalia seguía más ocupada con su melena que en escuchar mis historias del país de las maravillas. Natalia es una de las chicas guapas que trabajan en el bar. Estudia turismo y repite constantemente que es catalana.

Aquí los jóvenes no parecen preocupados por la política y sus locuras. Son criaturas apolíticas. Tienen trabajo, salario y fines de semana libres. Y todo ello les hace estar reconciliados con la vida. No como nosotros. A nosotros la política nos ha echado a perder. Hasta mi abuela, de tanto velar por mi futuro, acabó hablando de política.

Bromeando le dije a uno de los amigos fugitivos de la delegación de Lisboa que la auténtica lucha acababa de empezar para él. La lucha para vivir cada día. Para abrir los ojos todos los días mientras sigues con vida. Para convertirte en un miembro de la vida. Para ser realmente libre. Me refiero a conseguir la libertad por ti mismo. Sin necesidad de comunicados, mítines ni aplausos de nadie. Se me quedó mirando un buen rato y no dijo nada. Noté que estaba pensando. Pero en qué; nadie puede saber en qué piensa un fugitivo.

13

Pego es una ciudad pequeña que descansa en medio de estribaciones montañosas. Por eso en ella no sopla el viento. Todo en su interior parece anclado en el tiempo. Los árboles no se mueven, el clima es tan moderado que provoca extrañeza. Rafael dice que los vientos del norte no llegan porque las montañas son altas. Eso hace que el tiempo en invierno sea clemente. He alquilado una casa nueva con unos amigos. Una casa preciosa, esta vez con mantas. La dueña es una mujer estupenda. Y también su marido. Cuando le tendí la mano con el dinero del alquiler, me dijo que se lo diera a su mujer, que estaba a su lado. Había oído que en Pego había trabajo. Por eso recogí mis cosas y me vine. Cuando los turistas se van de Benidorm, disminuyen las oportunidades. Después de una semana de búsqueda, encontramos por fin una casa por cuarenta mil pesetas al mes. La dueña dijo que, por ese precio, nos eximía de pagar las facturas de agua y luz. Las camas eran cómodas, y el baño, elegante y limpio, le invitaba a uno a quedarse mucho tiempo. Por suerte, uno de nosotros tenía tarjeta de residencia, ya que era obligatorio para redactar el contrato con el gestor.

El primer día por la mañana nos levantamos a las cinco. Bebimos café y nos fuimos a una nave industrial de envasado de naranjas. Preguntamos si había trabajo. Subí a la oficina de uno de los responsables para decirle que éramos tres. Me preguntó si tenía coche. Le dije que no. Dijo que lo sentía y regresó a su despacho. Pedimos un café en la cantina de los empleados y hablamos con algunos de ellos. Hablaban valenciano. Parecían muy cerrados. Aquí los forasteros siguen siéndolo hasta que pasa un tiempo y demuestran sus buenas intenciones. Entonces se abren y se ríen contigo. Aquí todo el mundo trabaja en el campo. Por eso cuando alguien te dé la mano, no te sorprendas de la rudeza de sus palmas; y avergüénzate de la delicadeza de las tuyas. Cuando abro la puerta para entrar en casa miro el cuadro que está colgado en la pared de enfrente. Un cuadro pintado con evidente torpeza. Tres perros corriendo delante de un caballo. Y otro perro solo detrás. Hay también una gacela en lo alto de la colina. El resto son árboles verdes, montañas lejanas, nubes y un río.

Después de que el responsable del almacén se hubiese disculpado, salimos a la plaza y nos quedamos esperando a ver si nos sonreía la suerte. Pero la suerte siguió siendo mala y no sonrió. Todos los trabajadores se marcharon en sus coches grandes. Nos quedamos solos en la plaza. Me desanimé un poco y me puse a insultar a mucha gente que me venía a la cabeza en ese momento. A las nueve nos fuimos y dimos vueltas por Pego buscando la mínima oportunidad de trabajo. Teníamos que encontrar algo porque todo lo que teníamos lo habíamos gastado en pagar el alquiler. Lo bueno de ser inmigrante ilegal es que no estás obligado a quedarte mucho tiempo en un trabajo, y que en un solo mes es probable que pases por varias profesiones y aprendas muchas cosas útiles. Y también inútiles. Éste te acepta para explotarte, aquél se aprovecha de ti, y el otro necesita de tus servicios apresuradamente. Total, que todos te dan las mismas excusas corteses. Te pagan lo que te corresponde y se deshacen de ti porque ya no hace falta que vuelvas al día siguiente.

Recorrimos todos los caminos de Pego y entramos en todas las obras. Finalmente dimos con una donde necesitaban obreros. El capataz me preguntó dónde vivíamos, y le di la dirección. Dio la casualidad de que conocía al dueño de la casa. Me alegré de aquella coincidencia. Nos dijo que volviésemos al día siguiente a las siete y media de la mañana para que viera cómo trabajábamos. Para mis adentros le dije: «Si quieres, nos comeremos el cemento». Y me reí. Mi compañero me preguntó por qué me reía. Le dije que me reía de lo que estaba ocurriendo. Había estudiado para ser una cosa y mira por dónde me encontraba trabajando de albañil. Nos reímos juntos y regresamos a la casa a comer. A la una gorjeó un ruiseñor en la casa. Alguien llamaba a la puerta. Me levanté a abrir y me encontré con el capataz de la obra, bajito y con la cara llena de puntos rojos esparcidos al azar. Decía que fuéramos a la obra a las dos para empezar a trabajar. A las dos y cinco andábamos acarreando vigas de hierro de un lugar a otro. Y así hasta las seis. Volvimos a casa medio muertos. De tanto respirar polvo se te secaban la nariz y la garganta. Trabajamos como bestias porque estábamos a prueba. No hablamos con él del salario, ni él nos mencionó nada de los papeles. Rendido de cansancio, me venció el sueño.

Durante los días siguientes, al regresar a casa solía comer algo y salir a pasear. Pego es pequeño como la palma de la mano. En la placita en la que para el autobús hay una estatua de un jabalí tamaño natural de mármol blanco. El animal parece asustado con la boca entreabierta y unos colmillos prominentes. Suelo ir al café que está en la misma calle en la que vivimos. Un café que parece una sala de exposiciones. Por casualidad se inauguraba una de fotografía. Fotos de cafés de diversos países. Había un café de Marruecos. Y muchos otros de Túnez, Grecia, Turquía y Pego. Pero no me entretuve mucho. Bebí algo y me fui a casa a dormir. Aquí al menos puedes pasear con libertad. No hay coches de policía. En Pego no hay más árabes que nosotros y Hamid. Llegó hace dos años tras cruzar el mar en una patera con otros veinte inmigrantes. Zarparon de la zona de Muley Buselham y, tras más de veinte horas en el mar, llegaron a las costas de Cádiz donde se dispersaron como langostas. Por culpa del trabajo y del cansancio ya no me quedaba tiempo para escribir cartas ni nada. Al dejar Marruecos decidí no volver a escribir. Porque está claro que no es una profesión respetable. Reporta más pesares y enemigos que beneficios. Sin embargo, fueron las lluvias el motivo de que volviese a escribir. Cuando hacía mal tiempo, dejábamos el campo y nos metíamos en el bar más cercano. Allí los hombres empezaban a beber y a jugar a las cartas esperando a que escampara. Yo cogía una servilleta y escribía lo que se me pasaba por la cabeza. Cesaron las lluvias y me di cuenta de que estaba escribiendo un diario. Nadie puede elegir lo que le va a ocurrir en el día, pero sí contarlo. Los diarios de este tipo son la forma más divertida de reescribir ese crimen abominable que es la vida. De recuperarla de manera selectiva. De convertir las cosas pequeñas en sucesos sobre los que merece la pena meditar. Antes no había tenido la oportunidad de meditar sobre ese moco gris que se me escurre de la nariz cuando me lavo después del trabajo.

Cuando me ducho, el agua sale negra. Pero Rafael dice que la suciedad del trabajo nunca mancha. No sé por qué llamaba yo a Rafael el soldado desconocido. Tal vez por sus continuas historias de sus años en Sidi Ifni durante el servicio militar. Casi siempre que parábamos a las nueve para almorzar, se ponía a hablar del terremoto de Agadir, del clima de Sidi Ifni, y de muchos pormenores que se perdían en medio de nuestro interés por la comida. La media hora de descanso que se nos concede no daba para discutir la historia militar española con todo su armamento, sus flotas y sus soldados. Por eso simulamos escuchar sus historias mientras cada uno de nosotros come y piensa en el duro trabajo que le espera. Los ladrillos te cortan si los llevas sin guantes y, encima, hay que subirlos varios pisos. Sacos de cemento. Montones de arena. Maderos. Vigas de hierro cubiertas de óxido. Y otras tareas menores que hay que realizar entre trabajo y trabajo. Como cavar para buscar una tubería por la que se escapa el agua. Ayer cavé más de metro y medio en la tierra buscando el escape. Me topé con un sapo horrible durmiendo en las profundidades de la tierra húmeda. Le di con el pico para que se fuera. Pero se quedó mirándome con sus ojos soñolientos, como si renegase de que lo hubiera despertado en este temprano tiempo otoñal. Pero al final se movió espontáneamente y arrastró su cuerpo perezoso hacia unos matojos cercanos. Odio los sapos. Me pasé todo el día intentado apartar esa imagen horrible de mi cabeza. Cuando era niño cerraba la boca cada vez que veía uno. Porque de niños decíamos que si un sapo te ve los dientes, se te caerán sin remedio. Era un cuento. Porque veíamos caer nuestros dientes uno tras otro con sapo o sin él. La niñez es graciosa. Los niños creen que son desgraciados sólo porque no tienen una bicicleta. Mi padre siempre repetía que si aprobaba a final de curso me compraría una. Y siempre aprobaba con sobresaliente. Pero aquello no me servía para conseguir la bicicleta. Yo me ponía muy triste. En la escuela era un alumno aplicado. Dibujaba paisajes en cartulinas y se los llevaba a los profesores para que los colgaran en las paredes de la clase. Me hacía mucha ilusión. Cuando salía de la escuela pasaba por la tienda del abuelo. Porque estaba hambriento. Mi abuelo solía preparar té para sus amigos. Nada más cruzar la portezuela, dejaba la cartera encima de los sacos de azúcar, encendía el infiernillo y ponía la tetera después de añadirle un poco de agua para que hubiera en abundancia. Mi abuelo me decía que el pan duro es mucho mejor que el tierno, porque fortalece los dientes. Y yo me lo creía. A mi abuelo le sobraba mucho pan que no vendía, y se ponía duro como la madera. Yo masticaba el pan y bebía té mientras miraba cómo se limpiaba mi abuelo la dentadura postiza con un pañuelo grande, sin dejar de mirarme y sonreírme con su boca desdentada. Daba risa. Una vez saciado no me iba a casa. Me quedaba tumbado encima de un saco de paja. A veces, me ponía a barrer la tienda o a ordenar el género, aunque las ratas me daban miedo. Grandes ratas que andaban despacito entre las pastillas de jabón y las botellas de aceite. Los gatos no cazaban las ratas. Se lamían las extremidades y dormitaban al sol. Mi abuelo decía que eran unos vagos que no valían para nada. Pero le hacían compañía cuando sus amigos se iban a hacer sus cosas.

Cuando mi abuelo se cansaba de estar sentado, se levantaba y ponía un cepo en algún lugar de la tienda. Tenía muchos cepos de distintas formas y tamaños. Cepos de madera para las ratas pequeñas y cepos de hierro para las grandes. Pero llegó a

haber tantas ratas que mi abuelo se cansó de cazar-
las. Y dejó los cepos en un rincón oxidándose. Los
gatos también se fueron.

Creo que mis primeras lecturas fueron precisamente en aquel lugar. En la tienda de mi abuelo
sobre un saco de paja. Encontraba libros viejos que
sus dueños vendían al peso. Y que acabarían des-
hojados para envolver pipas o levadura. Libros de
autores desconocidos que devoraba sin cesar. Además de cartas olvidadas por destinatarios que habían cambiado de dirección. Pasé muchas horas
encima de los sacos de paja leyendo un sinfín de
libros, cuadernos y cartas. Por culpa de las ratas algunas cartas se perdían para siempre. Y con ellas se
perdían para siempre saludos, pasiones y encargos
de muchos soldados. Mi abuelo era bondadoso
hasta con las ratas. No dejaba de repetir que las cartas no cesarían. Porque la guerra duraría mucho. Por
delante de nuestra casa pasó una larga hilera de
tanques. Escuché a mi madre decir que iban al
Sáhara. Tanques de color caqui. Dejé mi juguete
hecho de alambre y me metí corriendo en casa. Las
mujeres salían y gritaban albórbolas. La abuela
Sofia me contó que había visto tanques como esos
en los tiempos de la colonización francesa. Patru-
llaban las calles para asegurarse de que todas las
puertas de las casas estaban abiertas. Si encontra-
ban alguna cerrada, la derribaban inmediatamente
e irrumpían en la casa y buscaban por todas partes.
La casa tenía que estar abierta. Así daba la impresión de que eras obediente, de que no tenías nada

que ocultar y de que no tenías miedo a que de repente entrara alguien a registrar. Sofia decía que los militares que iban sobre los tanques eran *selganeses*. Quería decir de Senegal. Mi abuelo no había sido combatiente. Era tendero. Siempre repetía que si hubiera luchado, habría muerto hace decenas de años. Y que todos aquellos cobardes que pasaban delante de su tienda en las conmemoraciones con muchas medallas en el pecho no eran más que traidores. Que por eso seguían vivos. Sofia pensaba que a mi abuelo le daba mucho miedo morirse y dejarlos solos a ella y a mi padre. Por eso no se involucró demasiado en la guerra de liberación. Él combatía de otra manera.

Se me ocurrió que yo podía ser el destinatario de muchas cartas, que llegasen cartas a mi nombre. Busqué direcciones en las revistas. Direcciones de chicas, naturalmente. Y empecé a escribir. Cuando mi padre supo que me llegaban cartas cuyos remitentes eran chicas, sonrió y me preguntó de qué se trataba. Le dije que eran amigas. Amigas con las que me escribía cartas.

Creo que mi relación con la escritura comenzó precisamente en aquel momento tan temprano. Uno de los personajes de la escritora danesa Isak Dinesen dice: «Oh Dios todopoderoso, mientras los cielos sigan estando por encima de la tierra, tus historias estarán siempre por encima de las nuestras». Es decir, que todo lo que intentamos escribir no son más que vulgares variaciones del ritmo de la vida. No hay nada más vil que renunciar a la vida y contentarse con meterla en un libro. El mismo Borges llegó a esta verdad cuando dijo que no deseaba la eternidad, sino que la temía. Porque sería horrible saber que seguiría viviendo. Y terrorífico pensar que Borges permaneciera. Sentía aversión por su nombre, por él mismo y por su fama. Quería librarse de aquella broma de mal gusto.

La escritura te da la oportunidad de contar y de que después se escuche todo lo que has contado. A veces descubres cuán mediocre has sido al intentar escribir algo profundo. Como si estuvieras demostrando a los demás que mereces que piensen en ti. Así es la escritura, se parece mucho a esos espejos extraños que cuando nos ponemos delante nos estiran y encogen de manera ridícula. Hay quien se ve a sí mismo infinitamente grande. Y quien descubre cuán insignificante es. Pero todos salimos de esa habitación de espejos con nuestras auténticas dimensiones, igual que, cuando desde la escritura falaz salimos al mundo real. A ese mundo escrito un día sin faltas ni pretensiones. Con una complejidad que convierte nuestra burla por lo que hemos escrito en una burla insoportable.

14

La señora Carmen me quiere mucho. Tanto como Rex, un perro gordo al que nunca oí ladrar. Rex no se mueve más que para comer o dar su paseo diario. Se pasa el tiempo sumido en un profundo letargo animal frente a la estufa eléctrica. A las nueve de la noche la señora Carmen lo saca a pasear a la calle para que mueva las patas y cague. En el callejón de San Antón, si no miras dónde pones el pie puedes pisar muchas cacas. Porque aquí son muy permisivos con los animales. Ver a un marroquí con las alfombras al hombro paseándose por los bares buscando algún cliente borracho les da más asco que la mierda de un perro.

La señora Carmen dice que me quiere, como Rex, porque no me parezco a los otros. Quiere decir a los otros moros que ve por la calle mostrando la mercancía para venderla. Dice que son unos careros y que la mercancía está trucada. Además, su aspecto no le inspira confianza. Hay una cosa que me molesta especialmente cuando los miro. Sus bigotes. No soporto que los lleven tan descuidados. No sé por qué. Me acuerdo de un carnicero del que mi padre era cliente habitual. Cuando atendía a mi padre le daba buenos filetes. Y cuando iba yo solo, regresaba a casa con extraños despojos animales por los que me ganaba unas cuantas bofetadas. Aquel carnicero tenía un bigote espeso que le gustaba retorcerse como si fuese el manillar de una bicicleta. Después aprendí a no confiar jamás en los carniceros. Porque los carniceros no tienen clientes. Son sencillamente carniceros.

La casa que compartimos los tres, quiero decir la señora Carmen, Juan y yo, tiene tres habitaciones. Cada uno de nosotros vive su vida privada en su habitación, a no ser que nos sentemos en el salón que compartimos para ver la televisión, y alguien se ponga a contar episodios de su vida alrededor de la estufa. Juan lleva cincuenta años sin quedarse en un trabajo mucho tiempo. Cree que los trabajos estables y cómodos los hacen los inmigrantes y los extranjeros. La señora Carmen no se lo discute. Opina que Juan es un fracasado que se separó de su mujer e hijos y eligió vivir en una habitación en una casa compartida. Pero Juan reacciona y dice que el Ponche Caballero fue la causa de la ruina de su familia. El Ponche Caballero está a la vista en casi todos los bares pero nadie puede acusar a esta bebida de obligar a la gente a beberla. Me temo que he caído en una trampa. Tendría que haber elegido a mis compañeros de piso con más cuidado. Pero me bajé de repente en una de las paradas de esta ciudad y encontré en un periódico local el teléfono de Juan, que había puesto un anuncio breve en el que se decía que buscaba una persona para compartir piso. Me pareció idóneo para mi deteriorada situación económica. Por mis inclinaciones aristocráticas, me ha gustado vivir siempre por encima de mis posibilidades. Desayunar en salones de té respetables, pedir un trozo de tarta, un zumo de naranja y un café con leche, además de los periódicos sobre los que anoto mi ruina recurrente. Por qué vivir sin disfrutar de un desayuno aristocrático, sin seguir las locuras del mundo desde un lugar luminoso desde el que puedes ver a los trabajadores yendo hacia sus trabajos con caras desencajadas de sueño. Me cuesta verme algún día como uno de ellos. Si mi día no empieza así, será un día miserable. He observado que las mañanas de los fines de semana transcurren miserablemente a pesar de empezarlas en el café. Después de pensarlo mucho, he llegado a la conclusión de que me faltan los trabajadores yendo a sus trabajos. Necesito ver a esos seres activos para convencerme de que ningún trabajo me espera en un lugar de este mundo. Que puedo quedarme en el café hasta el mediodía sin tener que dar explicaciones a un jefe. Así fue como acabé llamando a la puerta del piso, y Juan me invitó a pasar. Me senté esperando a que acabara de hablar por teléfono. Nos pusimos de acuerdo en el precio y sobre algunos pormenores que, a primera vista, parecen tonterías, pero que son muy necesarios entre personas que no se conocen y quieren compartir un piso. Como los horarios de utilización del baño, las horas de uso de la cocina por la noche, o que cada uno se comprase sus enseres para el cuarto de baño. Juan usa un papel rosa, y la señora Carmen, uno blanco.

No me enteré de que la señora Carmen vivía en la habitación de enfrente hasta que sacó a Rex a las nueve fuera de la habitación a pasear y cagar en la calle. Me miró y me dio las buenas tardes. Por alguna extraña razón odio a los perros. No me inspiran confianza cuando se me acercan a lamerme los zapatos. Me fío más de los gatos. Tampoco yo les gusto mucho a los perros. Enseguida descubren mis sentimientos de rechazo. Por eso le devolví el saludo a la señora Carmen y volví aprisa a mi habitación, esperando a que se fuesen a la calle.

—Salimos a dar un paseo, así les deja Rex trabajo para mañana a los de la limpieza.

La señora Carmen bromea con Juan, que está sentado en la mesa recortando fotos de la infanta Cristina de las portadas de las revistas del corazón.

—Vuelve pronto, que enseguida empieza tu amigo Colombo con sus investigaciones increíbles en Antena 3.

—No me importa, mi amiga Rosa me lo contará mañana en el café. Así no hablamos del precio del pescado.

Desde el primer día, como cualquier andaluz, Juan me contaba su vida, esperando de mí que pusiera cara de pena e hiciera lo mismo. Siempre consideré mi vida como una estantería de libros en una biblioteca pública. Cada vez que tenía que hablar de mí, sacaba un libro al azar y contaba un capítulo, considerándolo parte de mi propia vida. Había capítulos que no me gustaban y que me veía obligado a modificar para acomodarlos a mi naturaleza aristocrática. A veces me veía obligado a cambiar el final por el de otro libro. Por eso nadie hasta ahora puede pretender conocerme bien. Porque en lo que se refiere a mi vida, miento mucho. Es como un espía que se infiltra entre la gente esperando que se acostumbren a su presencia. Luego, que lo acepten como vecino o, por qué no, como amigo. Pero la diferencia es que yo soy un espía sin misión. Un infiltrado que no recibe órdenes de nadie más que de sus propios pensamientos.

La gente a la que no le interesa la política suele ser reservada con los extraños. Lo observé en el comportamiento de Juan. Quería saber por qué había venido a esta ciudad, de qué vivía y cómo me permitía tres platos distintos en una sola comida. Por qué no me parecía a los otros moros que salían regularmente en televisión bajándose de las pateras y subiendo, en el mejor de los casos, a los coches de policía y, en el peor, entregados a las olas que acunan sus cadáveres rumbo al Paraíso. La señora Carmen le dice que soy una persona con estudios y que, precisamente por eso, le caigo bien. Pero Juan quiere saber más. Y no para de preguntarme cosas sobre mi vida, lo que me hace recorrer con la imaginación muchas novelas hasta intuir que no insistirá más y callarme, dejando tiempo para que cambie de canal, comportamiento que refleja su perplejidad. Me gusta verlo de esa guisa. Me hace recuperar la confianza en mi capacidad de salir del trago de hablar de uno mismo.

—Tendré que suprimir el pescado de la lista de la compra. Voy a acabar comiendo verduras como los *hippies*, por culpa de estos precios desorbitados —dice la señora Carmen sin aliento a causa del peso de las bolsas de la compra.

—Seguro que en Marruecos coméis pescado gratis.

—Sí. Y reparten mejillones por las casas todas las mañanas.

—¡No me digas! Me voy a vivir allí.

—Muy buena idea. Por lo menos encontrarás niños que saquen a Rex a pasear por el parque.

La señora Carmen se tomaba mis palabras muy en serio, porque confiaba en mí. Pensé en reírme a carcajadas de estas historias tan tontas, pero temí que la señora Carmen pensara en todo lo que ya le había contado y acabara creyendo que yo sólo era un moro bribón.

Juan comprende esta historia del pescado mejor que la señora Carmen. Piensa que los españoles son un pueblo destructivo. Después de devastar su riqueza piscícola hasta el último cangrejo, pretenden hacer lo mismo en los mares ajenos. Pero ella quiere que el pescado vuelva a la lista de sus alimentos y no le interesan las negociaciones que tienen lugar entre las dos partes. Cree que se le ha empezado a resecar la piel de no comer pescado todo este tiempo. Aunque yo creo que es por culpa de los lametazos de Rex. Porque no le deja ningún rincón de la cara pálida sin mojar con su baba asquerosa. Mientras ella le acaricia el lomo que, sin exagerar, me parece una tempestad de polvo.

—¡No soy fascista!, pero me gusta ese hombre— dice Juan a la defensiva cuando me ve mirando una foto de Franco en la que sale levantando la mano y saludando a un destacamento militar que pasa glorioso por una calle de Madrid.

—Si Franco estuviera vivo, mi hija pequeña no se hubiera atrevido a llevarme ante el juez por un bofetón de nada. Estos cabrones le dan ahora a las mujeres el derecho de llevarse al amante a casa, y cuando el marido protesta, tiene que hacer las maletas y largarse. Como me pasó a mí. No sé adónde vamos a llegar en España. Pero estoy seguro de que un hoyo profundo nos espera en algún lugar del camino.

Hay un tipo de hombres que tienden a echar al mundo la culpa de todo. Creo que Juan es uno de esos. No como la señora Carmen, que conoce bien a sus adversarios. Y le echa la culpa a los precios, por ejemplo. Porque la han privado de su ración diaria de pescado. No va más allá. Tiene una pensión modesta, una habitacioncita y un perro tranquilo. Eso basta para vivir en armonía con el mundo.

El peor tipo de fascista es el que no lo reconoce. Tienen gran capacidad para ocultarse bajo la piel del cordero cuando se habla de otras cosas. Son personas pusilánimes, con gafas y sonrisa tímida. Personas incapaces de ponerse unas botas militares y salir de noche con la cabeza rapada a buscar a alguien de color que regrese solo a casa después de un intenso día de trabajo. En cambio, prefieren manifestarte su solidaridad. Y lo hacen para conservar dentro toda la violencia. Porque necesitan de su agresividad para las luchas violentas que libran contra sí mismos. No quiere esto decir que Juan sea uno de esos que hoy día proliferan como hongos. Es difícil llegar a emitir un juicio similar de alguien con quien compartes el baño y la cocina desde hace un mes. Un hombre que guarda entre sus libros una foto de Franco, en vez de guardar la foto de su mujer.

—¿Tenéis grupos fascistas en Marruecos? —me pregunta la señora Carmen mientras acaricia el lomo del perro.

—No... no.

—¿Y qué tenéis?

—Tomates, una patata roja riquísima y también naranjas...

—¿Trabajáis vosotros o tenéis inmigrantes?

—Trabajan las mujeres. Tenemos una gran conciencia del papel de la mujer en el mercado de trabajo. La mujer, primero. Y los hombres se marchan.

—¿Adónde se marchan?

—Al infierno.

—¿Al infierno?

—Quiero decir que vienen aquí.

—¿Y las mujeres?

—Vienen después.

—¿Y para qué todo este lío si también hay campos allí?

—Trabajar para otros es algo muy agradable. Te hace sentirte útil.

—¿Crees que Juan es una persona útil?

—Lo parece. No sé.

—Yo creo que sólo es útil para sí mismo. Porque no limpia el baño cuando le toca. Ni saca las bolsas de basura a la calle.

—No importa, yo lo haré.

—A veces me da la impresión de que Rex está más presente en la casa que Juan.

—Pero, señora Carmen, ¿por qué odia a Juan?

—No lo odio. Simplemente no me gusta.

Por primera vez escucho que es posible no querer a alguien y a pesar de ello no odiarlo. La señora Carmen dice cosas extrañas. Aunque yo no comparto su opinión, asiento con la cabeza, con ese gesto de aprobación que se hace cuando alguien dice cosas profundas.

Siempre que salgo de la estación de metro Puerta del Sol tengo el convencimiento de que veré el sol aunque sea de noche. Es una ilusión, porque el cielo de Madrid es como un abrigo oscuro de lana. Y esta plaza, como una sala de reuniones al aire libre. Puedes comprar drogas o unirte a una manifestación por una causa desconocida. Puedes pedirte un café y observar los coches de policía parados. Nadie persigue a nadie. Los manifestantes agrupan sus pancartas y sus megáfonos. Cuando se cansan de corear eslóganes y de marchar por la plaza, se dispersan a la espera de una nueva manifestación. No tengo nada que hacer. Por eso he venido a esta plaza. Paseo y a veces me detengo a contemplar los edificios como un turista japonés despistado. Me hubiera gustado que me parara un policía y me registrara la cartera. Necesitaba frustrar a alguien. Por eso me imaginé la decepción del policía, disculpándose con educación al no encontrar nada que le indujese a expulsarme. Las cosas ocurren cuando menos se piensa, no cuando queremos que ocurran. Crees que tu salvación está en un lugar, vas a él y no la encuentras. Tal vez se ha enterado de que la buscabas y ha salido a tu encuentro. Cada uno habéis tomado un camino distinto. Tal vez ahí esté la salvación: en que no os encontréis.

15

Acabé teniendo un nombre nuevo. Miguel me llama Richard. Le parece más fácil que pronunciar mi nombre. Mi amigo también acabó teniendo otro. Todos lo llaman Raúl. Ocurre a veces que nos llama por nuestro nuevo nombre y no atendemos sino después de que lo repita varias veces. Rafael dice que, con el tiempo, nos acostumbraremos a nuestros nuevos nombres. Los sábados trabajamos desde las siete y media de la mañana hasta la una del mediodía. Sólo nosotros. Le habíamos dicho a Alberto, el capataz de la obra, que trabajaríamos sábados, domingos, de noche, de día... que no importaba. Alberto vino a la una y media en punto. Nos dio nuestra paga de una semana de trabajo y dijo que el lunes teníamos que ir a la oficina del abogado de la empresa para ver el tema de los contratos. Mi amigo me susurró que ahora empezaba la peor parte de la película. Le dije que no se preocupara. Que nos acostumbraríamos a este tipo de escenas.

Nos pusimos de acuerdo en no perder más el tiempo inútilmente. Decidimos levantarnos pronto el lunes e ir primero al almacén de naranjas. A ver si allí nos sonreía la suerte. Y adiós a los sacos de cemento y a las vigas oxidadas. Pero la suerte siguió a su aire. Hosca sin motivo alguno. Volvimos a casa y preparamos el desayuno. La comida escaseaba en la nevera. «Y ahora, ¿qué hacemos?», dijo mi amigo. «Vamos a la oficina del abogado», respondí. Pero sin permiso de trabajo ni cartilla de la Seguridad Social no podremos firmar ningún contrato. «Eso es problema del abogado», añadí justificando una tontería con otra. A las diez en punto empujábamos la puerta de la oficina del abogado. Allí estaba Alberto. Le contamos la verdad. Y Alberto se mostró cauto.

Dijo que estaba encantado con nuestra manera de trabajar. Pero que tenía miedo de las multas, si venía por la obra un inspector de trabajo. El abogado por su parte explicó cómo eran las cosas desde el punto de vista legal. Quiero decir que le explicó que éramos peligrosos para su proyecto. Le dije a Alberto que no se preocupara. Que encontraríamos otro trabajo. Que no queríamos crear más problemas. El abogado intentó explicar el asunto velando por los intereses de las dos partes. Nosotros no teníamos Seguridad Social en caso de que ocurriera algún accidente, y, legalmente, él no podía emplearnos. Pero su oficio le hacía pensar primero en el interés de su patrono y no en el nuestro. Los abogados son siempre inteligentes. Así terminó el asunto, e intentamos llevar la conversación por otros derroteros. Creo que hablamos de la poligamia y de las lenguas que se hablan en algunas partes de

Marruecos. El abogado quería confirmar sus informaciones dispersas procedentes de muchas fuentes ante la mirada ausente de Alberto.

Regresamos a casa malhumorados, como encañonados por fusiles invisibles. ¿Qué hacemos en casa?, dijo mi amigo nervioso. Le propuse que fuéramos al café a leer los periódicos. Que tal vez encontraríamos una buena noticia. Acerca de nuestra patria. Acerca de una inminente ley nueva para arreglar los papeles. Acerca de algún gobierno caído en algún lugar de este miserable mundo. Fuimos al café La Luna. Su nombre está escrito con un neón azul que brilla poco por la noche. La dueña del café es una mujer de unos cuarenta años. Del techo cuelga un enorme collar de pequeñas piezas plateadas que representan una luna creciente sobre la que está sentado un hombre gordo y un extraño pez que lleva un paraguas que lo protege de lluvias imaginarias. De vez en cuando la mujer sacude el collar con un movimiento ligero de la mano. Y se mueve de aquí para allá provocando un sonido peculiar cuando el hombre gordo sentado sobre la luna choca con el pez del paraguas. Le dije a mi amigo que sin duda el sonido del collar atraía a los clientes. Me dijo que seguro que sí. Que si no, cómo se podía explicar nuestra presencia ahora, aquí, cuando deberíamos estar empujando una carretilla cargada de cemento o por lo menos subidos a un naranjo. Cuando las cosas se complican hay quien se deprime y hay quien se despreocupa. Y hay a quienes, como a mí, los embarga un sentimiento ambiguo de regocijo. Pienso siempre que cuando las cosas empeoran hasta el punto de parecer el fondo de un túnel negro es un indicio sarcástico de que la vida pone a prueba a los seres humanos. Por eso hay que tomárselo con mucho sentido del humor. A los que lo tienen, la vida los pone a prueba con seriedad. Pero a los serios siempre los pone a prueba con un humor que normalmente no pueden soportar. Así hacen méritos para repetir curso.

Algo me decía que Alberto no se desharía con facilidad de nuestros valiosos servicios, sólo porque un abogado sagaz le mostrara un capítulo de las sanciones penales. A las dos menos cuarto gorjeó de nuevo el ruiseñor del timbre. Abrí la puerta y me encontré a Alberto. Me dijo que tenía una idea. Bien, dije. Que trabajaríamos sólo de las dos de la tarde a las ocho de la noche. Pues ese es tiempo muerto para la administración, y no hay ni un solo inspector de trabajo fuera de su casa. Le dije que nos iba de maravilla. Salimos después de comer algo a toda velocidad y nos fuimos a trabajar. Al cabo de dos o tres días, regresó Alberto y nos dijo que podíamos ir también por la mañana si queríamos. Así volvimos a estar como antes, salvo que realizábamos los trabajos en el interior. Salíamos sólo por necesidad y comíamos debajo de las escaleras. Esto me parecía mejor. Por lo menos no me veía obligado a soportar las historias del ex militar ni a mi amigo le provocaban náuseas los bocadillos de jamón de los obreros. Simón siempre me ordena que le traiga las planchas amarillas de aislante para meterlas entre las paredes. Pero soy yo solo quien las prepara y las mete. Mientras él se echa hacia atrás hasta que termino. Odio esas planchas. Al rozarte los brazos te irritan la piel. Y cuando las cortas en trozos, según la medida de la pared, sientes que se te adhieren a la nariz y la garganta cuerpos pequeños y molestos. «Richard, trae planchas para que las pongamos dentro de la pared». Simón lo dice en plural. Pero cuando traigo las planchas, me dice: «toma, mételas en su sitio», en singular. Creo que no se le da muy bien conjugar los verbos. O tal vez soy yo quien no comprende muy bien los cambios verbales en español. Por la tarde me fui solo al café. Me senté a pensar. Sentí que me encontraba en otro planeta. Los acontecimientos que habitualmente me desbordaban por su importancia y, a veces, por su insignificancia, iban ahora en otra dirección. Por teléfono todos repetían que no había nada de qué alegrarse. Los intelectuales firmaban sus libros. Los firmaban con una dedicatoria única, cambiando sólo el nombre del comprador. La izquierda, que con frecuencia había repetido que estaba con el pueblo, ahora estaba en el gobierno. Los diarios, en los quioscos, y los poetas, releyendo poemas ya publicados desde las tribunas de siempre. Las lluvias no han sido abundantes. Por fin se ha publicado una lista. Una lista de liberados. Una lista de desaparecidos del mundo. Familias que piden los cuerpos de sus hijos. Para que el desaparecido tenga por fin una tumba que lleve su nombre. Y yo me siento como si me separasen años luz de mi planeta. La última vez que estuve en Beni-dorm vi a Gadafi. En un canal por vía satélite decía que él jamás se ha alineado con los árabes que no hacen nada sin consultar a EEUU. Y que la mayoría de los líderes árabes quieren aislarlo. Y que a los árabes sólo les queda de Alándalus las moaxajas. Prometía a los libios, como por arte de magia, un canal de agua al río Níger, lluvias tropicales y la mosca *tsé-tsé*. Abrí el periódico por las páginas de internacional. Aquel día *El País* dedicaba una a Irak, cuyo titular decía «Sadam Husein: un dicta-dor que sabe lo que hace». En una de las noticias breves Jatami decía que Arafat era un conspirador. Ayer en los asientos traseros del autobús de Oliva a Pego, leí frases grabadas con algo cortante: *moros perros*. Aquí la mayoría de la gente tiene uno o varios perros. Por la tarde después del trabajo los sacan a pasear. Prefieren pasear en compañía de los perros que de otras personas. Los perros son dóci-les, no como los humanos. Es gracioso observarlos. Se huelen unos a otros en los caminos. Esto sirve a sus dueños de pretexto para entablar conversación a la espera de que los perros terminen su reconoci-miento animal. Los perros no se preocupan por el mundo. Mean en los troncos de los árboles. En las ruedas de los coches. Cagan en las aceras y se van tan panchos. Me acordé de la perra Ethel, que me atacaba y me destrozó más de un chándal. Si me llega a morder, no habría podido hacer nada con-tra ella. Ethel tenía papeles y un carné que daba fe de sus visitas periódicas al veterinario. Yo no tengo nada de eso. La dueña del café ha golpeado al gordo que está sentado en la luna con un ligero movimiento de la mano, y ha chocado con el pez del paraguas, y han producido un sonido bonito que me hubiera gustado que durase más, hasta que llegasen clientes de todas las partes del mundo para tomarse un café a mi lado. Tal vez así mi soledad fuera más llevadera.

16

Desde uno de los balcones del edificio en el que trabajamos veo a los niños jugando en el patio del colegio durante el recreo. Niños con ropas limpias y zapatos resistentes. Jugando tranquilamente. No se dan patadas como hacíamos nosotros cuando salíamos de clase como geniecillos descerebrados. De vez en cuando, me gusta quedarme un rato en ese balcón mirándolos y dejar de trabajar unos instantes. Retrotraerme en el tiempo y verme a mí mismo yendo a la escuela por la mañana. Estaba en el grupo que entraba a las siete y media y salía a las diez y media. Por lo que con frecuencia iba sin desayunar. No me avergonzaba de mis pantalones con agujeros en las rodillas, que pasaba los ratos libres remendando, porque mis compañeros también tenían los pantalones agujereados en muchas partes, como si hubiesen escapado de un bombardeo aéreo que sólo hubiera destrozado sus pantalones. De camino a la escuela escuchaba los programas matinales en la radio. La voz salía del aparato de la tienda de Embarek, el bereber, y del café del churrero, donde los borricos dormían junto a sus dueños, acompañando mis pasitos hacia la escuela. Las canciones eran siempre las mismas, y los deseos de Rachid Sabahi de un feliz día para todos eran los mismos de cada mañana. Hasta las noticias me parecían similares. Nada importante ocurrió en aquellos lejanos setenta, a excepción de las secuelas de la guerra del Golán, los mapas, los territorios ocupados, los nuevos líderes emergentes a raíz de semejante derrota. Los acuerdos de Camp David. Sadat. El sur del Líbano. Los obuses. Menahem Beguin. Hezbolá. Der Yasín. Tel Zaatar. Tel Aviv. Cifras de muertos en el Sáhara. Pérdidas materiales y humanas. *¿Habrá un mañana? ¿Habrá un encuentro?*, canta Umm Kulzum. Nombres, lugares, pérdidas, guerras y numerosos acuerdos que se sucedían en la radio cada mañana mientras yo iba a la escuela. No era muy consciente de lo que ocurría. Lo que me importaba era llegar antes de que el portero cerrase la puerta. Porque el director recibía personalmente a los alumnos que llegaban tarde por haberse quedado dormidos o por cualquier otro motivo. Se quedaba de pie sonriendo, ocultando tontamente en la espalda su bastón, que decía haber sacado del Paraíso. Se quedaba esperando a algún alumno desgraciado al que traicionaran sus pasos por causa del frío o la lluvia. O tan sólo por el hambre. Por eso, las preocupantes noticias sobre un destino ridículo hacia el que se encaminaba Oriente Medio saliendo de la radio de Embarek, de la radio del churrero y de la vieja radio de mi abuelo, no le decían mucho a un niño travieso como yo. El rostro del director gordo me daba más miedo que el de Menahem Beguin, que se parecía al de una lagartija. Por eso jamás llegaba tarde. Los comentarios al *Corán* de Mekki Nasiri me incitaban a poner el transistor debajo de la almohada antes de dormir. Cuando hablaba de la gente y de la fruta del Paraíso, deseaba que siguiera con sus preciosas explicaciones. Me imaginaba a mí mismo en medio de inmensos platanales. Bosques infinitos. Pero de repente se detenía y prometía volver al día siguiente. Así cada mañana me levantaba esperando sus historias paradisíacas. Las pocas veces que llegué tarde a la escuela, me volví a casa para hacer compañía a mi padre. Él aceptaba a regañadientes, después de largas discusiones entre nosotros sobre qué necesidad tenía el director de llevar bastón a esa hora tan temprana. El bastón había salido del Paraíso, decía mi padre. Y yo le respondía indignado que también los plátanos habían salido del Paraíso, y por qué no llevaba una cesta y le daba un plátano a cada alumno.

Oí los pasos de Alberto subiendo las escaleras, regresé aprisa y me puse a mezclar arena con cemento con movimientos rápidos. La gente es así. Les gusta ser engañados. Si trabajas de verdad, piensan que estás fingiendo. Y si finges, son víctimas de un ardid. La semana pasada Alberto se confundió en la cuenta de las horas que habíamos trabajado y nos dio una cantidad que excedía nuestro salario semanal. Mi amigo me convenció de que le devolviéramos la cantidad extra. Así se daría cuenta de que nosotros no éramos como los demás. De que éramos honrados, añadió mi amigo con una sonrisa maliciosa de granuja. Que así sea, le dije. Mañana por la mañana le devolvemos su dinero. Pero nuestra honra no cambiará. Seguirá siendo siempre sospechosa. Ayer Rafael no se dio cuenta de que yo le escuchaba cuando Salvador le preguntó por mí diciendo: «¿Está ahí el moro? Dile que me traiga unos ladrillos». Le llevé los ladrillos sin que Salvador me los hubiera pedido, porque yo estaba allí. Quería decirle que mi nombre no se pronuncia de esa manera. Pero me aparté y dije para mis adentros que, a fin de cuentas, no era más que un moro. Rafael no hacía más que llamarme por mi auténtico nombre. El nombre por el que me llaman cuando no estoy. Cuando está Alberto, trabajan deprisa. Pero en cuanto Alberto se monta en su coche para visitar otras obras, se lían un cigarrillo y fuman. Campoy canta con ardor sobre corazones colmados por el amor. Canta porque es gitano. Es la primera vez que conozco a un gitano que trabaje en la construcción. La mayoría trabaja en el campo. Madre, padre e hijos. Y a veces la abuela. Trabajan de manera familiar. No paran de cantar. Sus voces se pierden en las montañas, y con ellas se pierden abundantes suspiros, palmas e incontables días de cansancio para ganarse el pan. Los gitanos son el pueblo más fracasado. Llevan aquí muchos años y no han dejado las hogueras, el vivir en los coches y el robar. Todo lo que han dado a la humanidad es el flamenco. Y todo lo que los españoles les han dado es una tierra para vivir y mucho desprecio.

Ayer después de comer vino David y me vio llevando unos marcos de madera. Me preguntó extrañado que qué hacía allí. Le dije que, como podía ver, estaba trabajando. Hablaba conmigo en un árabe incorrecto mezclado con un francés pobre. Luego, dándole una palmada en el hombro a Alberto, dijo: «Cuida a estos dos. Somos de la misma tierra». Alberto sonrió y le respondió: «Tú no tienes tierra». David se puso rojo. Me alejé de ellos al oír la respuesta malvada de Alberto. Cada vez estaba más convencido de que David era un judío marroquí. Él mismo me había contado que de niño vivió en Tánger y que había dejado Marruecos hacía treinta años. Habíamos entrado para comprar unas tijeras para recolectar naranjas la tarde del primer día de nuestra llegada. Y David había comprado alambre de espino. Empezamos a hablar enseguida. Así lo conocimos. Cuando Alberto le dijo a David que no tenía tierra, se estaba refiriendo a la leyenda del judío errante. Pero el judío ya no era errante. Había dejado de serlo y ahora había comenzado el tiempo del árabe errante. La Historia seguía su curso natural distribuyendo calamidades por igual a las dos partes.

En la escuela, cuando sonaba el timbre, los alumnos huérfanos no se iban a sus casas, entraban a un amplio comedor. Mis amigos huérfanos regresaban después del mediodía a clase con apetitosos bocadillos de pan de hogaza. Aunque yo no era huérfano, me ponía a la cola y entraba al comedor en compañía de los huérfanos. Las rebanadas de hogaza volaban hacia mí. Casi puedo olerlas ahora. La cocinera me preguntaba por mi padre. Yo bajaba la cabeza y le decía que había muerto en la guerra. Se compadecía de mí y me echaba al plato un puñado de esos dátiles con un montón de gusanos que había que matar antes de comerlos. Mi padre no sabía que comía en el comedor de la escuela ni que lo había mandado a la guerra para morir. La verdad es que yo no era el único que se hacía pasar por huérfano. Había muchos niños que mandaban a sus padres al cementerio por un poco de pan caliente. El pan de hogaza era tan bueno que podías mandar a toda la familia al cementerio sin ningún remordimiento.

Había muchas cosas que no quería que ocurrieran, pero ocurrieron. Desgraciadamente. Quería amaestrar un pájaro y murió. Quería un bocadillo de pan de hogaza y tuve que matar a mi padre. Me gustaba dibujar caras, pero la nariz no me salía bien. También me hubiera gustado tener el pelo rubio. Pero a pesar de todo el tiempo que me ponía al sol siguió siendo oscuro. Y cuando crece se me riza. Y muchas otras cosas por el estilo.

Lo que nos hace seres humanos es que cometemos errores. Cada vez que cometemos un error nos volvemos más humanos. Y esto es lo que nadie nos ha enseñado en la escuela. Por eso cuando crecemos empezamos a arrepentirnos de las tonterías que hemos hecho. Y cada vez que nos arrepentimos nos hacemos menos humanos.

Si tengo tiempo, suelo releer capítulos completos de la novela de Milan Kundera, *La broma*. Hoy encontré un fragmento iluminador que dice: «Sí, de pronto, lo vi claro, la mayoría de la gente sucumbe al espejismo de una doble creencia: creen en la perennidad de la memoria (de los hombres, las cosas, las naciones) y en la posibilidad de la reparación (de los actos, los errores, los pecados, el daño). Tanto la una como la otra son falsas. La verdad se sitúa precisamente en el lado opuesto: todo se olvidará, nada podrá ser reparado. La función que debe cumplir la reparación (mediante la venganza o el perdón) la asume el olvido. Nadie reparará los daños cometidos y todos los daños serán olvidados.»

17

He intentado averiguar por qué estuve toda la noche discutiendo con mi padre. Desgraciadamente no lo he conseguido. El sueño era confuso. Discutíamos sin hablar. Una discusión muda, como las que se producen entre dos personas que se conocen desde hace mucho tiempo. Abrí la nevera buscando algo para comer. Había tomates. Mi madre repetía siempre que mi padre tenía la mano agujereada. Yo no comprendía como podía alguien usar su mano si tenía agujeros. Pasaba mucho tiempo sentado en la azotea con la mano levantada buscando los agujeros. Busqué también en la mano de mi padre los agujeros de los que hablaba mi madre. Pero su mano estaba intacta. Nunca vi los agujeros. Y sin embargo mi madre insistía en que su mano tenía agujeros: mi padre no le prestaba la menor atención al asunto. Mi madre exageraba y tenía siempre los argumentos pertinentes para hacer reproches a un hombre derrochón como mi padre.

«Tienes agujeros en la mano», le dije riendo.

A mi padre no le preocupaba lo que yo decía. Levanté la mano y observé la palma. Vi líneas que se entrecruzaban, lo más parecido a destinos que se cruzaban. Pregunté a mi madre: «Mamá, ¿yo también tendré agujeros en la mano cuando sea mayor?»

Mi padre me consideraba el más parecido a él. Por eso me miraba mucho y me sonreía al hacerlo.

Quizás era la primera noche que tenía un malentendido con él. Las veces anteriores venía a mí cubierto de polvo. Sonreía sin hablar y desaparecía. Había oído que hay gente que se queda dormida y jamás despierta. Dicen que aceptaron acompañar a sus parientes a la tumba. Tal vez por eso discutí con él. Tenía miedo de seguirlo y morir también. Mi padre regresó solo a su tumba, y me desperté con la cabeza más pesada de lo habitual. Me di cuenta de que no había comido nada desde el día anterior. No tenía apetito. En cualquier caso, aunque lo hubiera tenido, en la nevera no había más que unos tomates. Tomates grandes de sabor extraño.

Abrí el balcón y contemplé el mar y me pregunté por qué mi padre no había sido combatiente. Al menos habríamos recibido una de esas distinciones que el Estado otorga a los hijos de los combatientes. Una licencia de taxi para llevar a la gente de un sitio a otro. O alguna cosilla por el estilo. Tal vez nadie le exigió que se hiciera combatiente. Eso no quiere decir que no tuviera una causa. Pero no aprendió a amar a la patria. Ni tampoco a odiarla. La patria no tenía nada que ver con él, descansaba tendida en el mapa. Y él descansaba en la azotea de la casa. Con ropa de trabajo. No tenía corbata, por lo que nunca se abotonaba el cuello de la camisa, dejando a la vista unos pelillos largos y blancos que le salían en el pecho. Los mismos que ahora crecen en el mío. A veces me asustaba parecerme tanto a él. Hasta los granos que de vez en cuando le salían en alguna parte del cuerpo me salían a mí. Siempre he pensado que me dejó una herencia cómica.

Regresé a la cama y me tumbé de espaldas. En el techo había pequeñas manchas de sangre. Me puse a pensar en por qué no se le había ocurrido emigrar como había hecho yo. O como hicieron los de su generación, a quienes los franceses pasaron revista a dientes y orejas como el veterinario pasa revista al ganado. Aunque esto no le impidió que se comprara un coche. Muy viejo y usado, pero que, de vez en cuando, funcionaba. Lo lavaba todas las mañanas. Las ruedas tenían un dibujo de un hombre gordo que corría sonriendo. Debajo estaba escrito en relieve Michelin. Siempre he pensado que es un nombre judío. Siempre que se mencionaba a los judíos, mi abuelo decía: «Dios nos libre». Contaba que fueron muy hábiles haciendo aliados en el sur. Mi abuela siempre me decía que yo era bereber. Por lo que no era apropiado que jugase con los hijos de los árabes en la calle y que compartiese mi pan con ellos. Casi veo desde aquí a esos judíos atravesando las montañas a lomos de mulas para soldar las vasijas de cobre que hacían los bereberes. Casi veo desde aquí sus barbas tirando a sucias y sus rostros alargados y astutos. Mi nariz siempre me los ha recordado. Observé que había muchas manchas de sangre en el techo. «Quizás yo sea de origen judío», le repetía siempre a mi madre.

«Dios nos libre», añadía mi madre.

Cuando tenía doce años, uno de mis amigos me dijo en el patio del colegio que tenía cara de perro. Pasé mucho años buscando este parecido. De noche, antes de tumbarme en la cama, miro bien en el techo y mato muchos mosquitos. Como alguien que combatiese enemigos insignificantes y los hubiese vencido, me duermo con la conciencia oprimida por la culpa.

El aburrimiento me consume vorazmente. No hago nada que merezca la pena. Escribo de vez en cuando. Y con frecuencia me tumbo en el sofá a pensar como un viejo mamut. La televisión es mi único consuelo durante el día. Por la noche Macarena me acompaña al café Moai que está frente al mar. Allí no hay viejos. La música *hard* y la extraña decoración les podría provocar un ataque al corazón. Por eso prefieren frecuentar los cafés y los bares corrientes donde la aburrida música *country* aplana sus mentes adormiladas. Creo que tengo muy mala suerte. Por eso me ocurre todo esto.

Mi pasaporte no sirve ya más que para regresar a Marruecos. Y yo de momento no quiero regresar. Siento por dentro una desesperación con piezas aún por encajar. Todavía tengo mucho tiempo para vagar por este viejo continente. La nostalgia es mi único enemigo. Pero hasta ahora la combato con denuedo, como todos los que combaten esta sucia vida. Desde el amplio balcón observo a los viandantes. La mayoría son de los países de la Europa fría. Hombres y mujeres en el otoño de la vida. Sus miradas son todo sospecha. Su abundante presencia en una ciudad pequeña como ésta, hace que parezca una jaula con animales respetables. Al final de la noche, cuando las inglesas se emborrachan, todo es posible. La mayoría de ellas vienen buscando un joven perdido, una noche con un hombre, un recuerdo imbécil que disperse las pesadillas de la edad que avanza aprisa hacia su final gélido. A veces siento compasión por ellas. Este continente no les ha enseñado más que represión. Nadie se beneficia de la represión salvo Sticky Vicky. Su espectáculo hace que se derrame mucha baba en los bares. Pero es una baba fría como los tímidos aplausos después de cada número.

Ayer un coche de policía pasó delante de mí muy despacio. Supe que mi aspecto me había delatado. Vi que el coche se detenía unos metros más adelante, y por el número blanco escrito en distintas partes del coche supe que se trataba de una patrulla de policía encargada de los inmigrantes. Me volví aprisa y cambié de dirección. Por suerte había un pasadizo que daba a la calle del Océano. En cuanto llegué al pasadizo puse pies en polvorosa. Corrí como si estuvieran bombardeando. Cuando tuve la certeza de que me había alejado lo suficiente me detuve. Porque correr de esa manera, y sin chándal, no era seguro. Volví a casa en silencio y no sé cómo justifiqué ante mí mismo esta actitud.

En el restaurante de Alejandro hay muchos jamones colgados. Cada vez que los miraba me acordaba del cordero degollado colgando del limonero en mi lejana infancia... En el jardín, la hierba era de un verde deslumbrante. Una hierba cuidada y podada con mimo. La sangre que goteaba del cordero degollado caía poco a poco. Gota a gota. Como lágrimas rojas. Mi madre y mi abuela estaban en la habitación de los invitados. Habían ido a dar el pésame a una pariente de mi abuela. Como es costumbre entre los bereberes, la habitación estaba en silencio. Las lágrimas se deslizan de los ojos enrojecidos pero nadie expresa su dolor. Me quedé mucho tiempo frente al cordero colgado del árbol. Vino una niña y se quedó a mi lado. Le dije que latía una vena en el vientre del cordero, que todavía estaba vivo. La niña se rió y me dijo que la siguiera. Fui tras ella y nos detuvimos frente a un gallinero grande. Con muchas gallinas blancas. Me miró con tristeza y me dijo que las degollarían por la tarde. Abrió la puerta del gallinero y entramos juntos. Jugamos un poco con las gallinas y luego salimos y dejamos la puerta abierta. Las gallinas se desperdigaron por el jardín como grandes copos de nieve. La cocinera negra, al oír el cacareo, vino aprisa y nos echó del huerto. Cogió a la niña del brazo y la empujó adentro, a la habitación de las mujeres. Yo me quedé en la entrada. No me apetecía entrar en la habitación de los invitados. Esa habitación tenebrosa en la que mi madre y mi abuela derramaban lágrimas tranquilas. Todavía recuerdo muy bien a la niña. Tenía más o menos mi edad. Me dijo que criaba conejitos en la huerta, y que comían hierba todo el día, y que no los matarían porque ella los quería mucho. Cuando muere una persona, la familia degüella algún animal para dar de comer a la gente que viene a dar el pésame; después de llorar viene la comida y, después de la comida, se saludan y hablan, del muerto, de la lluvia, de todo.

La niña me dijo que no había ido al cementerio a ver cómo enterraban a su padre. Aunque sabía que no volvería, porque habían echado mucha tierra encima de él. Su madre le había dicho que dormiría por un tiempo. Siguió hablando conmigo en su dulce lengua bereber. Y yo le contestaba en árabe. Ella me entendía.

Al caer la tarde mi madre me cogió del brazo y volvimos a casa. En el camino le dije a Sofía que cuando el muerto se despertara no podría salir de la tumba porque tenía mucha tierra encima. Ella me dijo que no volvería a la Tierra porque estaba en el Paraíso. «En el Paraíso hay muchos plátanos», dijo Sofía. «Quiero morirme para ir al Paraíso», le dije a mi madre. También le anuncié que quería criar un conejo en la azotea. Me dijo que se lo comería la gata. Mi hermano criaba palomas en la azotea. A veces se las llevaba al mercado y las vendía y luego metía el dinero en una caja pequeña. Un día vendió una paloma muy especial y se compró unas deportivas de la marca Inter. Yo tenía unos zapatos viejos del tipo Jeems y no criaba ningún animal en la azotea.

Los zapatos Jeems eran muy baratos. Por eso los llevaban la mayoría de los niños. Olían fatal. Cuando se acercaban los meses de verano los profesores nos advertían que no los trajéramos a clase. Por eso los cambiábamos por unas sandalias de plástico blancas. Una vez se cayó un pajarito de uno de los nidos que había en las hendiduras del tejado. Lo cogí y lo puse en una jaula. Su madre se quedó revoloteando y trinando alrededor de mi cabeza. Le di agua, esparcí delante de él granos de trigo y migas de pan. Pero no comió nada en todo el día. Estuvo todo el tiempo en silencio. Hasta que murió. Una mañana me lo encontré seco como un montoncito de paja. Con las patitas para arriba y con el pico abierto como unas tijeras. Lo saqué de la jaula y cavé un hoyo pequeño en un viejo montón de tierra que los obreros habían dejado olvidado en un rincón de la azotea y lo enterré. A los dos o tres días regresé y escarbé en la tierra buscando al pájaro. Se había secado más y estaba duro. Pero seguía teniendo lo ojos abiertos. No sé por qué volví y escarbé en la tierra buscando al pájaro. Pensaba que después de morir se habría convertido en otra cosa. Mi madre siempre me decía que yo no podía criar animales en la azotea. Porque yo era malo. Cuando tenía cuatro años le eché por encima a un gatito una botella con un líquido negro y pegajoso. Durante dos o tres días el gato estuvo arrastrándose por los rincones de la casa. Dejó de moverse y murió. Sofia repetía esta historia y se reía.

156

Pero yo recordaré siempre el caminar del gato moribundo. El líquido negro lo utilizaba Sofia para limpiar el baño y desatrancar las tuberías. Yo la veía hacerlo. Sólo quería limpiarlo. Pero pasé una parte importante de mi infancia cargando la muerte del gato en mi corazón. A mi hermano no le gustaba que me acercara mucho a sus palomas. Porque me pasaba la mayoría del tiempo paseando por la terraza con un pequeño arco y una flecha hecha con una caña y con un cuchillo de cocina entre los dientes. Corriendo y chillando como un indio y lanzando el cuchillo a los marcos de madera. La paloma me miraba con sus ojos brillantes, moviendo la cabeza en distintas direcciones. Cuando yo bajaba de la azotea, mi madre subía a ver cómo andaban los pájaros.

En Benidorm, si sabes hacer bien la pizza, enseguida encuentras trabajo. A nadie le importa el último libro que has leído. Aquí los extranjeros están todo el día comiendo. Por eso lo mejor es aprender a hacer pizza. La mayoría de los turistas son ingleses. Comen pizza y beben cerveza y se pasean medio desnudos bajo el sol con sus cuerpos llenos de tatuajes. Tatuajes de pájaros o dragones mitológicos o cruces con muchas serpientes enroscadas. Si trabajo este verano, me compraré un pasaporte francés y me iré a Londres. Puede que allí encuentre trabajo en algún periódico árabe.

En la televisión boxean un hombre blanco y otro negro. Una gitana gorda de aspecto cansado entra al café y sin entusiasmo ofrece sus rosas a los clientes. Nadie le compra nada. Lleva un reloj de hombre. Hoy es San José, el Día del Padre. Nadie trabaja. Las calles están llenas de gente. Me siento solo. Las fiestas siempre me han producido desasosiego. Tengo muchas ideas que quiero escribir. Pero no lo haré, porque normalmente me olvido de lo que quería escribir y acabo escribiendo otras cosas. Mejor así. Los boxeadores todavía están lanzándose golpes a la cara el uno al otro. «Último *round*», dice el locutor. A través de la ventana el mar brilla indolente como de costumbre. Hay un barco anclado a unos trescientos metros de la costa que emite una luz débil. El Día del Padre los hijos compran regalos a sus padres. Corbatas, cajas de bombones, teléfonos. Yo nunca le he regalado nada a mi padre. Creo recordar que le regalé un reloj de pulsera, pero luego lo recuperé. El último regalo que recuerdo de mi padre fueron sus gafas graduadas.

Cuando lo trajeron a casa, en una caja de madera amarilla, después de pasar dos semanas en el Hospital 20 de Agosto, las mujeres emitieron sonoras albórbolas. Las mujeres bereberes son así. Creen que cuando el hombre muere en mitad de la vida, una novia lo lleva al Paraíso. No recuerdo bien quién llevaba la caja. Tal vez mi hermano. Lo pusieron en el salón, donde había mucha luz. Era primavera. Recuerdo a los hombres recitando el Corán mientras yo, sentado, miraba la caja en silencio. Intentaba atravesarla y ver cómo era la cara de mi padre. No sé por qué, pero estaba seguro de que el cuerpo de mi padre no estaba completo dentro de la caja. En los hospitales públicos a veces los cuerpos salen con algún miembro menos, y las enfermeras son detestablemente antipáticas. Sofia no cosió nada aquella mañana. Dice que en estas ocasiones sólo se cose la mortaja.

La caja estaba sellada con cera para que nadie la abriese. Tenía que haber ido de la morgue al cementerio, pero como mi padre era funcionario nos permitieron que pasara por casa. Para que lo viéramos por última vez. Aunque la verdad es que no lo vimos. Vimos la caja.

Cuando bajaron a mi padre a la tumba, ante mí descendió un velo transparente que atravesaban los rayos del sol. Mis ojos derramaron muchas lágrimas mientras veía desaparecer para siempre la caja amarilla. No lloré en toda la tarde, como si todas las lágrimas se me hubiesen acabado frente a la tumba y no me quedara qué derramar al recibir el pésame de la gente. Mi madre y mi abuela lloraban en silencio. Los bereberes no gimen ni se golpean el rostro. Lloran en silencio. Las otras mujeres también lloraban. La casa estaba silenciosa y desolada.

No se por qué me dio sus gafas aquella mañana. Tenía mejor aspecto. Lo afeité e intenté acercar su cama al balcón porque quería ver el sol, pero las sondas lo impedían. El olor del hospital me provocaba náuseas. Salí al balcón porque quería evitar que mi padre me viese llorar y miré hacia abajo, donde había un jardín abandonado lleno de vendas, botellas vacías y gatos gordos. De repente sentí deseo de marcharme. Murió cerca de la una de la madrugada.

He pasado toda la mañana en el bar de Alejandro. Ha venido también Juan y se ha sentado delante de la máquina tragaperras. Parece que andaba de suerte. Juan odia trabajar. Para mí, es la imagen prototípica del español vago dispuesto a pasar toda la vida en el bar. Macarena dice que a la gente le gustan mucho los bares. Es un lugar de encuentro. Hay un bar por cada setenta habitantes. Lo he leído en unas estadísticas en el periódico. Juan no se cansa de repetir que la Unión Europea debería hacer algo por los países del Norte de África, que, en su opinión, es la solución para detener la emigración. Le dije que había dejado de hablar de política desde que me fui de Marruecos. La política es como un charco sucio y pútrido. Es ridículo acercarse a ella con ropas blancas de ángel e intentar seguir limpio. Pero Juan insiste y dice que tenemos que buscar una solución. «Personalmente, no puedo», le digo. Ahora estoy buscando trabajo. Éste es ahora mi gran proyecto.

Mi madre ponía la leche en el anafre y se iba a cotillear con la abuela. Cuando se salía la leche se formaba un reguero blanco que avanzaba tímidamente por la cocina mojando en su camino muchos zapatos. Luego mi madre regresaba a la cocina y hervía el café Brasilia. La imagen del negrito del paquete levantando su taza y sonriendo con generosidad me fascinaba de niño de un modo extraño. Los músculos prominentes, el pelo rizado como granos de café... tenía que oler mal como la criada negra que trabajaba en casa. Mi padre siempre la regañaba porque le robaba dinero del traje por la noche. Mi abuela decía que era sudanesa. Luego decía que no era humana, que hacía cosas que no eran de humanos. Que la criada insolente no quería comprender que su mano tenía que estar en la pila de fregar y no en el bolsillo de mi padre. Un día, mi padre juró que mataría a esa cabra, como la llamaba. Mi abuela se rió de él. Pero él dijo que estaba a punto de matarla. Después de un largo castigo la criada reconoció que había robado un billete de cinco dirhams y que se lo había tragado con agua para que no la descubriesen. Mi padre no se lo creyó. Mi madre se fue de casa. La abuela nos dijo que se había marchado a casa de su padre, y que ya no volvería.

De vuelta a casa por la tarde, cuando paso delante de la iglesia, miro furtivamente, como quien no quiere la cosa, a través de la puerta pequeña que está abierta en medio de la puerta grande. El lugar está en silencio y no hay rastro de curas. Sólo la imagen de nuestro Señor Jesús en la cruz de madera. La iglesia tiene una puerta grande, con un cerrojo de hierro. Si la puerta pequeña está abierta, se puede ver el interior de la iglesia donde la imagen de Jesús está colgada por todas partes. Con las lágrimas eternamente petrificadas sobre su mejilla y con la herida sangrante debajo del costillar derecho, como en todas las imágenes que había visto antes. Me refiero a las que había visto en las enciclopedias que adornaban las estanterías en casa de mi tío en Casablanca.

Cuando me quedaba solo en su casa o cuando, después de comer, se echaban esa siesta que odiaré hasta la muerte, no me acercaba a los volúmenes de la enciclopedia. Me daban miedo sus imágenes dibujadas con extrema precisión. Imágenes del demonio, de los ángeles, imágenes dolorosas de nuestro Señor Jesús, imágenes de iconos desnudos que representan mujeres con ojos blancos y opacos. Si había alguien en la casa, me acercaba a la enciclopedia. Pasaba las hojas elegantes intentando saber el motivo por el que habían clavado a Jesús en esa cruz de madera. La herida abierta en su costado derecho sangra en todas la imágenes. Tiene la boca abierta, como si suspirase, y más parece una sonrisa que una mueca de dolor. Sigo sin saber qué diré a la policía si me paran en la calle. Mi carné solo sirve para revelar mi nacionalidad, lo que de alguna manera me pone en evidencia. Mi nacionalidad es marroquí y mi número en las listas del Ministerio del Interior es el 25517. Mi profesión: periodista colaborador. ¿Colaborador con quién? No sé muy bien. El término «colaborador» de mi carné de identidad me recuerda siempre a aquellos despreciables colaboracionistas de los nazis. Hoy es mi cumpleaños. Siempre he considerado esta fecha como un día cualquiera. Nunca he sentido deseos de soplar las velas ni de compartir la tarta con los amigos, como cualquier persona aparentemente satisfecha con su vida y permisiva hasta con las mayores vilezas de su pasado.

Ahora recuerdo aquella carta larga que escribí al director del periódico en el que colaboraba. Una carta con expresiones elegidas con meticulosidad. Porque quería que mi sufrimiento fuese más patente. Escribí que era el hermano mayor de mi familia y que necesitaba ese puesto de trabajo más que nada en el mundo. Le escribí muchas cosas y le decía que mi futuro dependía de ese puesto de trabajo. Quería decir que mi futuro estaba en sus manos. En sus manos delgadas como zanahorias. Dejé la carta sobre su mesa y esperé una semana, un mes. Luego me olvidé del asunto. Yo no le gustaba al director. Eso estaba claro. Mi esperanza se desvaneció como se desvanece una voz en un pasillo vacío. Me dije que era mejor así. No había lugar para mí en el periódico ni en ningún otro sitio de ese país. Mi madre repetía constantemente que con el tiempo las cosas mejorarían. Que sólo debía tener paciencia. Pero yo veía que las cosas más bien empeoraban. Los hijos de perra no dejaban sitio a nadie. Los rufianes, chulos y políticos contaminaban todo aquello sobre lo que ponían sus sucias manos. Y los intelectuales eran perros guardianes a los que habían arrancado los colmillos. Tan sólo perros de adorno. Lo único que sabían hacer era ladrar en los periódicos. El que habla de los pobres tiene buenos ahorros en el banco, y el que escribe de cuestiones morales se tira a las alumnas a cambio de supervisarles sus insignificantes trabajos. Y el que parlotea de política y poder ni siquiera es capaz de controlar a su mujer. Conozco muy bien a esos hijos de perra. «Periodista colaborador». Cómo me hace reír ese trabajo.

Durante la secundaria me tragué muchos libros, entre ellos las novelas del director del periódico. Su descripción del clasismo emergente en Marruecos me gustaba mucho. Al empezar a trabajar en su periódico como colaborador, me di cuenta de que se parecía a uno de los personajes autoritarios de una de sus novelas. Nunca llegamos a hablar. A menudo me cruzaba con él en la escalera. No le prestaba atención y seguía con mis asuntos. Algunos todavía le besan la mano como en los viejos tiempos. Yo sólo beso una mano, la de Sofia. Tiempo después sentí asco por haber escrito aquella carta. Me arrepentí de haber pedido ayuda a una persona que no se merecía que nadie le pidiese algo así.

Por todo esto, el dieciséis de octubre me parece una fecha que no merece ser celebrada. Me basta recordar aquella carta para comprender que mi cumpleaños está unido a esa mezquindad que no puedo perdonar, ni tan siquiera olvidar. Siempre está ese burgués que defiende a los pobres. Pues los pobres, dada su excesiva ignorancia, necesitan de la nobleza y el coraje del burgués para que sus lamentos sean oídos. Pero ese burgués que defiende a los pobres, además de defenderlos, tiene que amarlos. Siempre pensé que el director del periódico era un burgués que defendía a los pobres. Hablaba por ellos. Pero sin duda no los amaba. Creo que en el fondo se reía de ellos al comentar en su columna diaria sus problemas con el vergonzoso salario mensual, los autobuses públicos repletos de ladrones, las aguas derrochadas en regar cientos de hectáreas de los campos de golf. Me lo imaginaba con su sonrisa malvada a final de mes al percibir su inmenso salario. De pie al lado de su Mercedes 300, esperando a que el chófer le abriese la puerta para montarse en el coche como un señor. Golpeando con su palo la pelota blanca de un lado para otro, paseando sobre la hierba que había crecido a pesar de las críticas diarias en su editorial, buscando el hoyo despreciable hacia el que todos nos dirigimos en este tiempo perro. Creo que el egoísmo humano no tiene límite. A algunos la Divina Providencia les permite ser al mismo tiempo pequeño burgueses e intelectuales. Pero con su egoísmo creciente se obstinan en desempeñar también el papel del proletariado machacado. Y por una extraña razón logran desempeñar ese papel, y no sólo el público es víctima de sus ardides, sino que también se engañan a sí mismos. Y se pasan el resto de la vida sufriendo a causa de esta esquizofrenia ridícula.

He estado durante horas intentando dormir. Por mi cabeza han pasado miles de malos pensamientos. Entre ellos, levantarme y escribir una larga carta al Ministerio del Interior en Madrid. Una carta llena de insultos. Y naturalmente también de faltas de ortografía. He pensado también en lo que haré mañana. He tenido una idea. Iré a la playa y nadaré hasta la plataforma de plástico flotante. Allí me sentiré aislado de la ciudad y de la tierra firme. Me sentaré al sol a contemplar los edificios.

Han pasado muchas semanas en las que no he trabajado. Alejandro me daba gratis el café. Y tenía casi todos los periódicos en el restaurante. Me pasaba las mañanas leyendo. A veces me llevaba las cartas, las respondía y las amontonaba en mi maletín hasta conseguir dinero para los sellos. Alejandro es un hombre bueno. Me decía que si quería comer algo que se lo dijese. Se lo agradecía intentando utilizar fórmulas educadas que había encontrado en el diccionario. Alejandro no comprende qué hago yo aquí. «Tenemos el porcentaje de parados más alto de toda Europa, y el Estado se desentiende de nosotros cada vez más» dice. Respondo que estoy esperando a que se dibuje una pequeña sonrisa en el rostro horrible de esta mala suerte que me persigue y esto aumenta su desconcierto. Se seca la frente sudorosa con un extremo de su delantal blanco. Luego me deja y se pone a freír algo. «Vosotros los moros estáis verdaderamente locos», murmura sonriendo.

Desde muy temprano he salido a buscar trabajo. He dejado mi número de teléfono en todos los restaurantes y cafés. Que es lo máximo que me han pedido. «Te llamaremos si tenemos algo», decían por cortesía, porque en realidad no me llamarán. Cuando me cansé de patear, regresé al restaurante, me senté a beber un café y a leer el periódico. Llegó Manuel, dejó su bicicleta aparcada en la puerta, pidió una San Miguel, su cerveza favorita, y empezó con su disertación sobre la situación política en España. No le prestaba mucha atención porque estaba buscando en el periódico anuncios de trabajo. He vuelto a casa y he contestado escuetamente a algunas cartas. He recibido una revista cultural de Holanda.

Esta tarde no he llamado a mi madre por teléfono. No tenía dinero para la conferencia. La llamaré la próxima semana. Quizás.

Fui hacia ti
solo
como va el arroyo en el bosque.
Me sorprendió la desolación
y empecé a hablar solo,
por parecer acompañado.
Me sorprendió el arrepentimiento
y me mordí las uñas
como un niño para ser perdonado.
Anduve así extraviado hasta encontrarte
hasta saber que tú también estabas sola
                              y asustada
esperando ser perdonada
y que alguien te condujera hacia mí.

18

Me gusta que me sorprenda el amanecer des-
ayunando en la estación. La Estación del Norte de
Barcelona es increíble, como todas las estaciones de
las grandes ciudades. Hay muchos asiáticos sentados y no se puede distinguir si sus ojos están abiertos o cerrados. En las paredes hay carteles con fotos
de miembros de la organización vasca ETA. Según
el cartel, son muy peligrosos. Pone que si alguien
ve a uno de ellos que lo comunique inmediatamente. En las fotos parecen justo lo contrario. Incluso
hay una chica sonriendo. Pensé en la película *El
beso del asesino* sin lograr acordarme del nombre del
director. Los cafés de las estaciones de autobuses y
los de las estaciones de tren dan la sensación de que
el tiempo pasa. Grupos de gente van y vienen. Viajeros que parecen caracoles con sus bolsas a la espalda. En la estación de Rabat solía sentarme al lado
de la ventana para ver las salidas y entradas de los
trenes. Me fascinaba escuchar esa voz femenina que
acompaña a cada viajero hacia su tren y que reco-
mienda alejarse de la vía y no olvidar nada en los
compartimentos. A pesar de que el café era muy

malo, el movimiento de los trenes me imprimía una extraña alegría infantil. De la misma manera que no podemos nadar dos veces en el mismo río, tampoco podemos sumergirnos en la misma estación. No sé muy bien cómo explicarlo, pero la idea me parecía sugerente.

Martes. Siete de la mañana. Hace bueno y las calles están desiertas. He regresado a la estación y he pedido un café con leche y un bollo. No he dormido en toda la noche. No me quedó más remedio que escuchar la vida de uno de los viajeros, que por desgracia estaba en el asiento de atrás. Se pasó toda la noche fumando y profiriendo insultos hasta que se bajó en Tarragona a las cinco y media de la mañana. Contó que era de Tetuán, que no había llegado a conocer a su madre, que su padre era alcohólico y cosas por el estilo que cualquier persona desgraciada podría contar. Por sus palabras me pareció entender que pendía sobre él una sentencia judicial en Marruecos, y que por eso iba hasta la frontera de Melilla y luego volvía sobre sus pasos. Con orgullo decía que él no tenía pinta de albañil ni de campesino y que no le gusta trabajar para esos españoles como un esclavo. Que él era un aventurero que se jugaba la vida cada día. Quería decir que vendía hachís. Maldecía su suerte y la política, con palabras que en Marruecos no se atrevería a pronunciar. Sé que se envalentona porque está aquí. El muy cobarde. Lo insulté para mis adentros. Me pregunto qué hago yo entre estos miserables. Yo por lo menos tengo estudios, y un diploma universitario y en mi carné de identidad figura la profesión de periodista colaborador... ¿Colaborador con quién? No sé. Mis amigos me dicen que tengo lectores. Es verdaderamente gracioso, ser un fracasado y tener lectores. ¿Pero quién se lo va a creer? Tendrás que escribir un libro para explicarlo. Y al final habrá quien venga y te pregunte: «¿Es verdad que te ocurrió eso?» ¡Maldita sea! Nadie quiere creerse que la vida es así de tremenda.

Tal vez era el típico joven indignado con Marruecos que se juega la vida a diario. Tenía razón cuando decía que el día que ganase ciento cincuenta millones de pesetas volvería a Marruecos y que entonces podría comprar el juzgado, con sillas y jueces, en vez de perder un día la vida en este continente frío.

Lunes. Nueve de la noche. Me vi dando vueltas por la cubierta del barco. Ya era de noche. Las luces de Tánger se alejaban lentamente. Me puse los auriculares del *walkman* y Fairuz empezó a susurrarme al oído: «Tengo que contaros esta historia mía... tengo que despedirme de vosotros y contaros esta historia mía... Hemos cantado juntos canciones, pero siempre al final llega la despedida...» Sin duda Latifa quería maltratarme cuando me regaló esta cinta. Y Saíd era su cómplice, porque insistió en que me la llevara cuando me vio dudar. Quien no llore escuchando a Fairuz mientras ve las luces de Tánger alejándose, es porque tiene el corazón enmohecido y ya no latirá por nada. El agua empezó a salpicarme en el rostro. No me moví. Los restos del llanto no se aprecian en un rostro mojado.

Miércoles. Seis y media. Estación Sur de Madrid. Me siento como si, después de un largo interrogatorio, hubiera confesado. Casi no puedo con mi cuerpo. Lo siento más pesado de lo habitual. Llevo cuarenta y ocho horas sin dormir. Los asiáticos también ocupan aquí la mayoría de los asientos. Los árabes, con su aspecto alarmado, recorren los vestíbulos de la estación llevando sus bolsas de plástico, como quien busca la salida en un laberinto. ¿Dios, por qué son siempre así? Me fui de Barcelona sin que me diese tiempo a hacer una foto de recuerdo. No importa.

Siete y cuarto. De repente tuve la sensación de que ya no necesitaría dormir. Que permanecería despierto para siempre. Sería horrible. Estos días duermo mal. Pienso mucho en el futuro. Veo que me voy haciendo mayor y no tengo un trabajo estable. Sólo de escribir no puedes vivir en este mundo y menos aún si escribes en una lengua que nadie comprende. «¿Por qué escribís de derecha a izquierda y no de izquierda a derecha como nosotros?» ¿Tú, qué responderías?

Creo que me duele el cuello porque hasta ahora no he encontrado una almohada adecuada. Aunque puede que se deba a otras causas, como a una mala posición nocturna. Aunque mi posición es mala dormido y, peor aún, despierto. ¡Dios, qué puedo hacer para encontrar descanso!

Viernes. Diez de la noche. La chica nos presentó a Buda. Dijo que no le gustaba a causa de sus dientes amontonados como los de un pez. Añadió sonriendo que parecía malvado. Luego señaló a otro Buda sentado con las piernas cruzadas sobre una mesa de madera de patas largas esculpidas con arte: «Este me gusta, dijo. Su barriga simboliza la plenitud, y sus grandes orejas indican que escucha más de lo que habla, además de que su boca, como podéis observar, está perfectamente cerrada». Siguió hablando, sin dejar de sonreír dulcemente. Yo la miraba a ella todo el rato, más que a Buda. El otro chico parecía fascinado con sus explicaciones precisas sobre el origen y los símbolos de los objetos preciosos que contenía la casa. «Hace calor en la casa», le dije. «Sí, tenemos calefacción eléctrica», respondió. Nos detuvimos frente a un paño bordado al estilo rabatí, y prosiguió sus dulces explicaciones. De repente el chico se puso a hablar de su árbol genealógico. Y descubrieron que ambos compartían la misma noble estirpe.

Cuando vio la foto de unos conocidos combatientes marroquíes colgada en la puerta, la señaló y descubrieron que tenían un antepasado común. El joven me preguntó de dónde era. Le dije que era bereber. Y añadió que había visto en el canal Arte un documental en el que se decía que procedíamos de las remotas tierras del Cáucaso. Le pareció que el pequeño tamaño de mis ojos lo confirmaba.

Temí que la conversación derivara en una espesa conferencia sobre el origen de las especies y zanjé el asunto diciendo que todos éramos marroquíes y teníamos una identidad única. Naturalmente yo estaba pensando en el carné de identidad.

Estaba claro que ella le explicaba a él más de lo que me explicaba a mí. Y me dio la impresión de que él ya conocía la casa. El francés de ella era bueno. Pero cuando hablaba conmigo lo hacía en un árabe exquisito. La casa era un auténtico museo. No había una sola pieza que la historia no hubiese bendecido con su polvo sublime. Reliquias insólitas —entre las que la muchacha se movía como una estatua escapada de un templo hindú— que se hubiesen esparcido por los rincones de la casa y que no encontraran quien las devolviera con mimo al olvido. Creo que el olor a incienso se extendía por la casa desde un quemador oculto. A pesar de mis afilados sentidos, no pude averiguar de dónde provenía.

Lunes, diez y media de la mañana. Te escribo desde la cafetería Ramses de Casablanca. El tráfico fuera es rápido. Los coches corren sin propósito como poemas escapados de mentes terroríficas. He pensado en escribirte desde aquí mismo. Cuando tengo ganas de tomar un café con alguien me pido uno y le escribo una carta. Así lo invito a un café y a una conversación rápida. En cuanto llegue, te envío mi nueva dirección. Ahora vivo en mis zapatos... es una vivienda segura y maravillosa...

19

Toledo. Viernes, una y media de la tarde. Me senté en una de las terrazas de Suqadawab. Enfrente está el Arco de la Sangre. No sé de dónde proviene ese nombre brutal, aunque sí sé al menos que en los siglos pasados la plaza de Suqadawab, en uno de cuyos cafés estoy sentado, era el lugar donde se dejaba el ganado antes de entrar a la ciudad. El nombre actual, escrito en el rótulo de mármol blanco, es Zocodover. El Arco de la Sangre es como un gran balcón que da a las afueras y desde donde se ve el río que rodea la ciudad como una trinchera. Esta vez se trata de un río de verdad. No como el pequeño río que atraviesa Madrid, que es como una meada. Toledo parece una ciudad construida para la guerra. Sus murallas, sus callejas, sus puertas... Todo en ella anuncia una invasión imaginaria que podría ocurrir en cualquier momento. Pero parece que los señores de la guerra han depuesto las armas en los museos, dejando a la ciudad sumida en la paz eterna. Abandonada para siempre.

Ayer cuando bajé del tren, me topé con una armadura de guerrero con una gran espada desenvainada. Se erguía con poderío en el vestíbulo de la estación, como si estuviese dando una bienvenida intimidatoria a los visitantes. Observé que en los numerosos bazares que hay en la ciudad vendían objetos bélicos. Armaduras, puñales, espadas de tamaños y modelos distintos, pero ni rastro de armas árabes. Todas las armas eran inconfundiblemente cristianas. Es natural. En la Historia se reconoce al derrotado por su ausencia.

Chefchauen. Viernes, nueve de la noche. Desde la ventana de mi hotel contemplo Chauen. Me pareció un bebé envuelto en pañales de luz. De noche, las montañas parecen más oscuras y más bajas que de día. En qué pensarán las montañas por la noche. Tal vez respiren y crezcan. Y como ellas, las casas. Al lado de la habitación en la que me alojaba, la 119, había unos españoles que contemplaban la ciudad con ojos de haber fumado. «Una vista increíble», decía la turista. «¿Nos tiramos desde aquí?», le respondía su amigo riendo. Pensé por qué, cuando estamos a gran altura, se nos va la mente directamente al suicidio. Y no a volar, por ejemplo. Tal vez porque contra la calamidad no se puede competir sino con otra calamidad similar. Y volar no es una calamidad. La calamidad es caerte en el momento en el que podrías haber volado. Salí de la habitación por la ventana, como un ladrón, y tomé el camino del monte hacia la ciudad. Pasé por tumbas olvidadas de tamaños distintos, saludé a los muertos, repitiendo para mis adentros ese saludo solemne que les asegura nuestro próximo ingreso allí. Me detuve un rato a contemplar esas tumbas pequeñas que parecen contener muertos diminutos. Me acordé de cuando íbamos al cementerio de los cristianos en aquel descampado resguardado por una tapia. El cementerio nos parecía un jardín, y pensábamos que los muertos debían de ser señores que yacían bajo el mármol con sus ropas elegantes, con relojes de bolsillo y chaquetas muy bien planchadas. Las lápidas de mármol eran lo único que nos importaba de aquel reino de los muertos. Se las quitábamos a las tumbas en un momento de distracción del viejo guardián que velaba la serena muerte de los señores. Luego saltábamos la tapia huyendo como pájaros asustados, dejando muchas tumbas sin identidad. Me entristecía bastante dejar tantas tumbas sin nombre. Pero mis amigos decían que a los cristianos el fuego les había devorado los huesos, y que por tanto ya no necesitaban sus nombres. Más adelante aprendería que la muerte no necesita nombres. Que nos conoce uno a uno desde el nacimiento. «La muerte tiene una cita con la vida en un hotel lejano, la vida jamás acude a la cita, y la muerte se presenta por sorpresa, sin cita alguna». Había escrito esta idea una mañana de marzo. Marzo es un mes de perros. Siempre me lo pareció. Aquel frío jueves de octubre, cuando deposité mis maletas en el andén número 15, el tren rápido ya había partido sin mí hacia Bruselas. Me tuve que sentar a esperar el siguiente

177

tren. La estación del Norte de París es un pequeño laberinto. Los franceses son gente nerviosa. Te dan ganas de suicidarte con sólo preguntarles algo. En el tren se sentó a mi lado una checa muy delgada llamada Adamova Katrina. Era inevitable que hablásemos de Václav Havel, de la primavera de Praga, de Milán Kundera y *La insoportable levedad del ser*. Para explicarle de dónde era, tuve que abrir un mapa del mundo y señalar Marruecos con el dedo. Adamova se quedó sorprendida de que supiera tantas cosas de la República Checa. Le dije que en nuestro país no ocurría nada importante y que por eso nos entreteníamos siguiendo lo que ocurría en el mundo. El mundo era nuestro último consuelo. Sin él nos habríamos muerto de aburrimiento. Adamova se rió, y me fijé en su nariz delgada, como de inglesa. Hablamos sin parar de muchas cosas. Como extranjeros en un país lejano, intercambiamos las direcciones. Eso hacen normalmente los viajeros. Viajar te enseña a mirar el globo terráqueo como si fuera una agenda de bolsillo con muchas direcciones. Cada ciudad queda reducida a una calle con un número. A veces hojear la agenda es como hacer un pequeño viaje. Aunque se requiere mucha imaginación. Que es siempre lo más difícil. Las amistades que hacemos en los trenes son como las amistades que nos unen a los libros. Tan pronto como los terminamos, los arrinconamos en un lugar de la estantería. Pero el tren seguirá pitando siempre. Igual que el escritor. Zocodover está lleno de gente. Estudiantes universitarios. Turistas que hablan muchas lenguas. Hay una decena de árboles de fruto verde, pequeño y redondeado, cuyo nombre desconozco. Y trece farolas. Las tres farolas que hay en medio de la plaza parecen de tamaños distintos. El día está algo nublado. Nada bueno para hacer fotos. Esta mañana llamé a un tal Y. K., que dirige una revista árabe en Madrid. Le dije que había hojeado la revista y que quería conocerlo. Me dijo que le visitara cuando quisiera. El sábado por la mañana salí de la estación de metro como una humilde rata. La Plaza de Castilla estaba atiborrada de peatones. El señor Y. K. me citó en el hotel de cuatro estrellas Meliá. Le pregunté a la recepcionista, y me dijo que no había nadie con ese nombre alojado en el hotel. Al cabo de un cuarto de hora vi a un hombre corpulento que venía hacia mí torpemente. Nos reconocimos por el aspecto. O por el olor. No sé. Me llevó al quiosco del hotel y compró muchas revistas árabes. Enseguida me di cuenta de que estaba representando ante mí el papel de intelectual. Tuve la impresión de que perdería el tiempo con él. De todas formas, mi tiempo no era valioso. Sobre todo en mi situación.

Y. K. pensó que yo podía conseguirle algunos anuncios para su revista. Dijo que los artículos no le importaban porque con ellos no se ganaba dinero. Hablamos una hora y media acerca de muchas cosas. Acerca del tiempo que pasó en Marruecos como corresponsal del periódico *Al-Watan (La nación)*, de cómo dejó Marruecos con una respetable suma de dinero, de sus amistades con los árabes ricos de Marbella. En realidad era él quien hablaba, y yo lo escuchaba intentando saber si era palestino o de otra nacionalidad árabe.

En los túneles del metro siento como si me hubiera convertido en una rata. Y los que pasan a mi lado, apresurados, también me parecen ratas. Ratas asustadas que huyen de gatos invisibles. Me daba risa. Abajo es como una excursión por el centro de la Tierra, por lo menos para alguien como yo que ha pasado el tiempo viajando sin techo sobre esta tierra. Los túneles del metro son el subconsciente de la ciudad, pensaba en casa. Con mucha malicia Múhsin le dice a Ala que los palestinos son así. Perdieron Jerusalén y se esparcieron por el mundo. Y Ala le responde que no lo perdieron, que la vendieron a plazos a los judíos y derrocharon el dinero en los bares del mundo. Áhmed hace como que lee *Palestina ocupada,* pero escucha las provocaciones de sus dos amigos, y entre página y página, da un sorbo a su cerveza sin mirarlos. Múhsin y Ala siguen metiéndose con él hasta que llega la hora de comer, pero Áhmed sabe que no va en serio, por eso prefiere callarse o por lo menos aguantarse. «¿Por qué pedís a los judíos que se vayan de Jerusalén si ya os pagaron el precio de las tierras que ofrecisteis en venta?», dice Múhsin. «Mira, este palestino, por ejemplo... Está suscrito a todas las revistas que llegan de Gaza y Londres; unas veces lee una revista de Al Fatah y otras una revista de George Habash, y sobre todo bebe cerveza...». Ala hace como que le regaña con una carcajada maligna.

Yo les escucho y espero la reacción de Áhmed. Se quita las gafas y me dice que le han gustado mis poemas. Se lo agradecí con las expresiones breves que utilizo siempre en respuesta a ese tipo de cumplidos.

«No le escuches», dice Múhsin, «mañana cambia de opinión y te dice que tus poemas son una auténtica mierda».

Áhmed se ríe dejando a la vista sus dientes oscuros consumidos por la caries. «Esta tarde veré a mi amiga alemana Ruth». Y levantó su vaso para brindar a nuestra salud y se lo bebió de un trago.

Lunes por la mañana. Café de Flore. París. Querida H. B., últimamente he leído cosas tuyas preciosas y me dije, ojalá esta mujer fuera amiga mía. Escribí esta petición con letra clara y, en vez de ponerla bajo mi almohada, la puse en un sobre y te la envié, y me senté sonriendo a esperarte. Dios no me ha defraudado nunca, siempre me ha dado enemigos maravillosos sin los cuales no hubiera sabido qué hacer con mi maldad. También me ha dado amigos encantadores. Me siento en la terraza. El café es bueno, pero muy caro. Te invito, pues, a mi amistad. Sólo te costará algún viaje a correos... Te espero.

20

Sábado por la tarde. No quedaba ni un solo sitio vacío en el teatro de la ópera. Era una de esas tardes frías de Bruselas. Tenían que pasar por el escenario músicos venidos de los cuatro puntos cardinales. En el cartel ponía que la última sesión estaba dedicada a la música espiritual. Después de que un judío vestido de negro cantara canciones melancólicas acompañado sólo por un violín grande, salió al escenario la hermana Marie Keyrouz con su larga falda, su pañuelo blanco cubriéndole la mitad del pelo y su actitud dulce, que le hacían parecer una asceta, si no fuera por nuestros aplausos entusiastas. *«Como añora el ciervo el agua en las colinas lejanas, así te añora mi espíritu, oh, Dios».* Repetía la hermana Marie con una voz solemne, cuya escala de tonos era como una escala al centro de la tierra. Me gusta ese himno que más parece una oración. Cantaba con los ojos cerrados, con los dedos de las manos cruzados sobre el pecho, como si estuviera orando. Yo repetía el estribillo con ella. Y eso molestó a mis vecinos de la fila de delante, que empezaron a buscar disculpas educadas para volverse para atrás. Cada vez que uno se volvía, yo sonreía con esa sonrisa idiota que se le dibuja en la cara a cualquier europeo antes de soltarte un frío: «¡Qué buen día hace!». Les respondía con la sonrisa arrogante de ser el único en la ópera que podía seguir a esa mujer pequeña que cantaba en árabe en medio de un público totalmente europeo. Cuando salimos, en un breve descanso, a los pasillos de la ópera, me abordó una belga de mediana edad preguntándome de dónde era la cantante. Le dije que era libanesa y cristiana. «¿Cristiana? Y entonces por qué no canta en francés», añadió sorprendida. «Porque canta en árabe», le respondí fríamente, como dándole a entender que su pregunta estaba fuera de lugar. Al continuar dándome explicaciones estúpidas, me di cuenta de que todo en ella estaba fuera de lugar; mejor le hubiera ido si se hubiese quedado esa tarde delante del televisor, pelando patatas y cantando. Me acordé de que una vez me llegó una invitación para asistir a una edición del Festival Internacional de Música Sacra de Fez. Fui especialmente para escuchar a Marie Keyrouz. Sin embargo, cuando llegué al lugar de recepción me dijeron que no había alojamiento disponible, que me lo tenía que buscar por mi cuenta. No me lo pensé mucho. Volví a la estación de tren, y por la tarde estaba en casa. Estaba claro que yo no era el enviado de *Le Monde* o *El País,* para llegar y encontrarme una habitación de hotel esperándome. Así comprendí que el festival no concernía tanto a los marroquíes como a los extranjeros. Pero aquel sábado por la tarde en aquella maravillosa ópera, la hermana Marie me estaba esperando. Me imaginaba que cantaba sólo para mí, porque era el único que entendía lo que decía. Aunque al final todos aplaudimos tanto que aquella delicada mujer se inclinó un buen rato con gratitud.

Rabat. Lunes por la mañana. He ido al periódico a cobrar mis colaboraciones del mes. No tengo más ingresos que esa miserable suma. Mi madre me dice que tengo que pedirle al director que me acepte como periodista de plantilla. Le digo que ahora no, que quizá más adelante. Al decírselo, me rechinan los dientes. Mi madre no sabe que no le gusto al director, que no me quiere en su periódico. Él siempre repite que, con mis artículos, le he traído problemas al periódico. Quieren que escriba en un tono más moderado. Sobre esos libros suyos insignificantes, por ejemplo. Libros que obtienen los premios que otorga el Estado a los escritores insignificantes. Sin embargo, nunca lo hice, aunque es cierto que hice muchas otras tonterías y que escribí artículos que no valían una mierda de perro. La necesidad me empujó a colaborar a veces con revistas y periódicos de dudosa honradez. Para sobrevivir mandé algunos relatos breves a los países del Golfo porque allí la prensa no está muy desarrollada, pero tiene dinero, pagan en dólares. A veces enviaba el mismo cuento más de una vez, y siempre me lo pagaban. Creo que desde el punto de vista crítico esto es lo que se llama un cuento bien logrado. Vivir de la escritura no es fácil. Y no es lo mismo que vivir para escribir. Cuando te das cuenta de la diferencia entre ambas situaciones, dejas de tener problemas con el correo.

Valencia. Viernes por la tarde. Me he visto de nuevo caminando por ese callejón. No se me ha perdido nada allí. Pero lo recorro cada vez que siento angustia. Atravesándolo, llego al pie de la colina que da al mar. A la derecha hay una iglesia católica. El reloj de la iglesia suena cada cuarto de hora. Como si quisiera delatar el tiempo, que pasa de incógnito. En la plaza hay dibujantes que invitan a sentarse a los transeúntes, rivalizando entre ellos por conseguir un cliente al que hacerle un retrato. Hay vendedores de ropa bohemia que no atraen la atención de nadie... y turistas que, como de costumbre, hacen fotos para demostrar a sus conocidos que estuvieron en ese sitio. Enseguida te das cuenta de que no hay ni rastro de mendigos. Los ancianos esperan el final en residencias, con tranquilidad. El Estado se hace cargo de los minusválidos. Te puedes guardar tu compasión, que nadie te la pedirá en esta plaza un viernes por la tarde.

Rabat. Casablanca. Ida y vuelta. He pasado mucho tiempo pateando las redacciones de los periódicos. Periódicos portavoces de partidos de derechas, de partidos de centro. Periódicos portavoces sólo de sus directores. Periódicos que se publican de vez en cuando y que desaparecen de repente cuando sus responsables consiguen un cargo en algún sitio. Yo no buscaba defender ninguna causa concreta. Buscaba un trabajo estable. Pero nadie me aceptaba. Sólo aceptaban a chicas rollizas que redactaban artículos repletos de estupideces y a quienes enviaban a cubrir noticias a los hoteles para que comieran gratis. Estaba desesperado. Empecé a verlo todo con claridad. Desde la cima de la desesperación se ven las cosas con extrema claridad. No como cuando te sientes estúpidamente optimista, y te parece que las cosas tienen su orden y que en algún lugar hay una salida. La salida para mí era iniciar un largo viaje por el mundo. Ya no tendría que soportar la televisión, ni que escribir en la última página. No más sexta planta del periódico, donde ese funcionario insignificante me preguntaba el nombre para buscar el cheque que contenía mi miserable sueldo. Sé que lo hacía para demostrarme que mi nombre no le decía nada, a pesar de que lo leía casi a diario en el periódico. No sé por qué disfrutaba maltratándome con aquella grosería. Cuánto llegué a odiarlo.

Heidelberg. Cinco de la mañana de un día lluvioso. El cielo parece cubierto por un espeso abrigo de invierno. Los árboles están de un verde deslumbrante, y en el café Rheinfels la gente se mueve con lentitud, como si el hielo hubiese congelado su sangre aria. Llegué a Heidelberg antes de lo previsto. Por suerte, era una mañana lluviosa. Me gusta este tiempo melancólico. Lo encuentro totalmente apropiado para pasarlo tras el ventanal de un café escribiendo hasta el mediodía. Los días aquí no se parecen en nada a los de España. Aquí no hay mañana, ni mediodía, ni tarde. Tienes que guiarte por el reloj para saber la hora. El sol parece una mujer mayor cubierta con un manto negro. Una mujer de nariz grande con catarro crónico. Las alemanas tienen la nariz grande y se mueven con mucha confianza en sí mismas. No como las inglesas, que dan la impresión de que alguien las persigue. Tal vez sea sólo una impresión.

Sábado por la tarde. En la ópera de nuevo. Cuando la hermana Keyrouz abandonó el escenario, salió un grupo de derviches. Entraron uno a uno después de saludar al jefe del grupo. Luego se pusieron a girar cada uno en su sitio. Al rato empezaron a parecerme como muñecas móviles con sus faldas amplias que elevaba el aire como un paraguas. Sentí vértigo y salí de la sala. La temperatura había descendido bastante. Pensé en dejar Bruselas al día siguiente. No soporto los escalofríos.

Casablanca. Agosto. Todos dormían, y yo podía empezar a devorar cuentos. Mi hambre de lectura era increíble. Por eso, cuando crecí, empecé a detestar los libros. Cuando me cansaba, sacaba la caja de colores y pintaba. Después del mediodía las horas avanzaban aprisa hacia la tarde. Entonces salía y me sentaba a la puerta del edificio. Casablanca es un bosque espeso. Tenía miedo de alejarme y perderme. Dibujaba muchas montañas con nieve en la cima. La nieve la pintaba de color amarillo. Porque el color blanco no se distinguía sobre el papel blanco. Detrás de la montaña ponía un sol con muchos rayos, con una mitad entre las montañas y la otra, oculta. Al pie de la montaña ponía una casita con chimenea. Y frente a la casa, campos. Y en medio de los campos, un hombre arándolos. Delante de él, un caballo tirando de un arado. Y en la parte de abajo de la hoja, ponía mi nombre y firmaba con una pequeña rúbrica que apenas se veía.

21

El lunes por la mañana vi a Fabien. No sé cómo habrá llegado a Pego. Estaba muy delgado, y su ropa, ligera como las de los turistas, polvorienta. Estaba delante de la cristalera del bar que está frente a la parada del autobús que va de Alicante a Valencia. Por su mirada extraviada supe que estaba mirando los horarios. Cuando lo vi, volví la cara para que no me viera. Hace más o menos un año lo había conocido en Oliva. Estaba parado frente al supermercado, con el ecuatoriano. Lo llamábamos así porque ignorábamos su nombre. Él fue quien nos lo presentó y nos dijo que era francés y que buscaba trabajo en los campos de naranjas. Le prometí que hablaría con Merche. Sabía que la gorda aceptaría de inmediato, porque cuantos más hombres conseguía, más compensaciones adicionales obtenía para la gasolina del coche. Para nosotros era justo lo contrario, cuantos más hombres, más menguaba nuestro salario semanal. Pero esto a la gorda no le importaba, porque para ella nuestro salario era respetable. Al día siguiente me encontré con Fabien delante del súper y le dije que a la mañana siguiente viniera pronto al bar de José y que se trajese unas tijeras. Así empezó a trabajar con nosotros Fabien. A Merche no le gustaba mucho porque era francés. Empezó a sentarse con nosotros a la hora de comer, pero ella no entendía nada cuando hablábamos. Nos reíamos, y ella se quedaba callada, cortando trozos de jamón con el cuchillo de cocina, comiendo queso blanco y bebiendo Coca-Cola a sorbitos. Fabien dice que pasó la niñez entre árabes en los suburbios de París. Por eso cuando llega a un país extranjero y necesita ayuda, busca al primero que tenga cara de árabe.

A las dos o tres semanas, Merche empezó a sentirse molesta. Fabien no cumplía con su trabajo y la llamaba gorda. Naturalmente, ella no comprendía ni una palabra de francés. Por eso le escuchaba decírselo y sonreía con estupidez.

La vieja francesa que hospedaba a Fabien y al ecuatoriano, en un ataque de demencia senil los echó de su casa. El ecuatoriano se fue a la de unos conocidos suyos, y Fabien hizo la mochila, cogió su tienda de muchos palos, lo dejó todo debajo de una mesa del bar de José y se le puso cara de persona perdida. Como era normal, lo invitamos a casa para que no pasara la noche en la calle. A él, ciudadano europeo de nacionalidad francesa, le dábamos cobijo nosotros, que teníamos nacionalidades que no provocaban más que sospecha y miedo. Nosotros, que no teníamos papeles y que estábamos amenazados de expulsión por cualquier vil policía en este continente miserable.

Así empezó Fabien a vivir con nosotros. Y acabamos hablando en francés más de lo que hablábamos en árabe. No sé por qué pretendía que era de origen italiano y odiaba Francia a muerte y no quería volver allí. Me enseñó su álbum de fotos y señaló la cara de una niña pequeña en brazos de una mujer: «Es mi hija Laura, y ésta, mi ex mujer», dijo. Siempre repetía que había venido aquí a trabajar para enviar el dinero a su hija, y que se exponía a ir a la cárcel si no lo hacía. Pero yo me di cuenta de que derrochaba su salario mensual en beber y que no compraba comida. Una tarde, estando yo en la cocina preparando la comida para el día siguiente, entró Fabien frotándose las manos como quien se dispone a confesar un secreto y me dijo: «¿Sabes una cosa? Tengo hambre». Sin mirarle le dije: «¿Sabes una cosa? Yo no soy tu madre». Así, fríamente.

Me asusta a veces mi manera de hablar. No sé cómo me cambian las facciones ni cómo me sube toda esa sangre a la cabeza. Mi abuela dice que me parezco mucho a mi padre. Cuando se enfadaba en el trabajo, presentaba la dimisión y se iba a casa. Y siempre se la rechazaban, porque aquellos inútiles necesitaban de su buen francés para redactar sus anodinos informes diarios.

Fabien se lió un cigarrillo y se lo fumó sin decir palabra. «¿Por qué no te vuelves a tu república de igualdad, justicia y fraternidad?», le pregunté sin mirarlo. «Me voy a la cama. Que duermas bien», me respondió con voz quebrada, como dándome a entender que le había herido en su patriotismo.

Que duermas bien, me dice. Me acordé de cuando me dijo en los campos que le molestaba el polvo de las hojas de los árboles y que por eso no se subía a ellos. «Sube tú, que parece que a ti no te molesta», me dijo burlándose. A pesar de que no había relación entre las dos situaciones, me volví hacia Áhmed, Fawaz y Miguel y les dije: «Mañana este cabrón se va de casa». Desde aquel día no le había vuelto a ver, hasta ese lunes por la mañana. Naturalmente hice como que no lo conocía y entré en el súper.

Altea. Siete de la mañana. Estaba en el muelle del puerto esperando los barcos de pesca. El mar estaba tan tranquilo que parecía la acera limpia de una calle larga. A lo lejos, en un rincón había unos pescadores tejiendo redes. Uno de ellos me llamó y me dijo que estaba perdiendo el tiempo esperando los barcos, que en estas fechas no había mucha pesca y que la mayoría van a Denia a descargar. Media hora después, estaba sentado en uno de los cafés que dan al mar. El café al principio era una librería. Te tomas el café rodeado de estanterías con libros y periódicos venidos de distintos países del mundo. Compré una postal y le escribí a un amigo. Altea no es una ciudad grande. Puedes recorrerla entera en una mañana. Las casas y las calles te son familiares, como si estuvieses paseando por las callejas de la alcazaba de los Oudaia de Rabat. Cuando siento un vacío, escribo una carta.

A veces me doy cuenta de que he escrito varias cartas y no las he enviado. Las cartas sirven a menudo de confesionario. Cuando no recibo cartas, empiezo a dudar de algunas cosas: de la dirección, del cartero, del portero..., pierdo totalmente la seguridad, como si hubiera ocurrido algo grave.

Benidorm. Una del mediodía. Me fui de Altea después de dejar mi teléfono en la agenda de la dueña del restaurante que estaba al lado del café. Me dijo que necesitaba un camarero que hablase inglés y francés, además de español, claro está. Esa imbécil lo que necesita es un traductor jurado y no un camarero, me dije para mis adentros.

Buscar trabajo puede convertirse en algo divertido. En el autobús hojeé el libro de Antonio Machado que había comprado en la librería y me sorprendió cómo me había convencido a mí mismo para comprar un libro.

Cuatro de la tarde. El correo ha llegado con retraso. Miro las cartas. Nada nuevo, desgraciadamente. Me siento en el balcón a contemplar el mar y empiezo a imaginarme a mí mismo llevando cajas de pescado desde el barco al frío almacén. No me gusta nada la imagen. He vuelto a la mesa y he contestado todas las cartas del mismo modo: «No soy feliz. No os preocupéis, no me suicidaré. Podría ocurrir que nadie se diese cuenta de que estaba colgado del techo de mi cuarto, y seguiría pareciendo un idiota».

22

Tenía que volver. Como cualquier ave migratoria que deja las zonas frías para marcharse al calor.

Europa es fría, como la mirada que te asesta un vecino nuevo en el ascensor. La nostalgia es el enemigo del emigrante. La nostalgia combate con furia a todo aquel que se resiste a ella. Y yo soy el derrotado que regresa a su país. Con desgarramientos musculares en la espalda y los dedos encallecidos, aptos para cualquier cosa menos para escribir. Aunque por lo menos vuelvo con unos buenos zapatos.

Me he cansado de estar siempre alerta. Quiero salir de casa sin tener esa sensación. Caminar en compañía de alguien sin que el coche de policía se detenga detrás de mí, sin tener que dar explicaciones ni pedir permiso. Me he cansado de esconderme siempre como un imbécil. Y de correr cuando había que salir huyendo. Quiero mirar a mi alrededor y ver a mis semejantes. Que mi aspecto no le produzca extrañeza a nadie. Que no me intimide una mujer y que no me mire un niño con la boca abierta. Quiero irme a dormir por la noche sin tener que comprobar el cerrojo de la puerta y que la cartera sigue debajo de la almohada.

Muchos dirán que este extravagante está cometiendo una nueva locura volviendo a su país, mientras que otros miles pasan todos los días alimentando la borrosa ilusión de atravesar un oscuro estrecho hacia la tierra prometida. Pero se quedarán aún más boquiabiertos cuando sepan que me fui del país sin tener que pagar nada más que el pasaporte. Yo no confié mi vida a una barca dejando que las aguas del Mediterráneo la transportaran tontamente hacia la otra orilla. Ni pagué una fortuna para obtener el sello mágico que estampan los consulados en los pasaportes de los que desean ir a la otra parte del mundo. Todo fue mucho más fácil para un periodista colaborador como yo. Un periodista principiante que buscaba algo desconocido para poner a prueba sus instintos primarios, para que se volvieran más agudos.

A finales de agosto de 1997, me llegó una invitación para cubrir el Congreso Mundial Amazigh que se iba a celebrar en las Islas Canarias. Antes de recibir aquella invitación, yo no tenía ni idea de la cuestión *amazigh*. Todo lo que sabía es que yo era bereber. Y que eso no era muy diferente de ser de cualquier otra raza porque a fin de cuentas, creo yo, todos pertenecemos al género humano.

La invitación llegó a nombre del director del periódico que yo había empezado a publicar en un ataque de locura. A mi nombre, quiero decir. Me fui volando al consulado español con la invitación, mi pasaporte y la petición de visado. Tuve que pasar dos noches en la calle Argel para conseguir el impreso del que el consulado sólo distribuía un número limitado de copias al día. Hablé con el guarda español, que salía de vez en cuando a respirar un poco de aire más que a poner orden entre los congregados, porque a la multitud la ponían en orden policías marroquíes con su vocabulario habitual. Y me respondió como un rayo en un español que disipó toda esperanza de entenderme con él. Eso me bastó para saber que no hablábamos la misma lengua. Le pregunté si había en el consulado una sección especial para los periodistas. Al parecer, todo el mundo tenía que pasar una o dos noches a la intemperie para refrescarse un poco las ideas y así tener tiempo para meditar sobre si su deseo de abandonar el territorio nacional no sería precipitado.

Una semana después de depositar mi solicitud, el jueves por la tarde sonó el teléfono. Me habló una funcionaria en un francés repleto de errores para decirme que fuera al consulado lo antes posible con mi pasaporte y con el número de visado que ella me dio. Y también con el dinero. A la mañana siguiente me fue más fácil que la primera vez entrar en el edificio del consulado. La fila de los que habían sido citados, con sus pasaportes, el precio del visado y su número, era solo una y corta. La fila de los que estaban esperando los trámites era también solo una, pero interminable. Los que estaban en la fila de los desesperados lanzaban intensas miradas de perplejidad a los que estaban en la de los afortunados. Como si buscasen en vano esa leve y visible diferencia que hiciera las solicitudes de unos aceptables y las de otros rechazadas. Pero, como no lograban entenderlo, se miraban unos a otros con incertidumbre y a veces miraban al consulado y se quejaban de su larga espera. Entre las dos filas había un pasillo estrecho que cruzaban preguntas vagas, suspiros y retazos de conversaciones.

Cuando me llegó el turno de entrar, vi que tenía que hacer otra cola dentro del vestíbulo del consulado. Todos teníamos un número, y había que estar atento a la llamada. Cuando me tocó a mí, me acerqué a la funcionaria, protegida por un cristal como si fuese una alhaja valiosa guardada en una vitrina, y le entregué el pasaporte. Me dijo que en cuanto recibieron mi solicitud, me lo comunicaron por escrito dos veces, pero que no me presenté y que tuvieron que llamarme por teléfono. Le respondí que últimamente el correo estaba muy mal y que había hecho muy bien en llamarme por teléfono. La verdad es que parte de la culpa de que se perdieran las cartas era mía, porque después de presentar la solicitud no estuve en casa. Eché los papeles al buzón del consulado y regresé de inmediato al cámping Rose Marie donde estaba pasando unas pequeñas vacaciones en compañía de unos amigos, bañándonos donde las aguas del mar se mezclan con las aguas cálidas del río. Tanto era así que, cuando paseabas por la playa al atardecer, llegabas a dudar si no estarías paseando cerca de grandes váteres atascados. Era normal que me fuera de Marruecos con manchas rojas en la piel, recuerdos íntimos de un cámping proletario.

Tal vez por eso se perdieron las cartas del consulado, porque el cartero las arroja enfrente de la casa, y, en ausencia de una mano honrada que recoja el correo, éste acaba siendo presa de los niños maleducados que juegan a la pelota en el supuesto jardín proyectado por el Ayuntamiento frente a nuestra casa, con tan mala suerte que no pasó de ser un descampado reseco cercado por pequeñas vallas de metal. Pagué el precio del visado, y el funcionario me informó de que tenía que regresar a la una para recoger mi pasaporte, una vez terminados los trámites, para que el cónsul estampara la firma que permitiría a su portador, además de aventurarse en el territorio español, entrar en el territorio de todos los países que han firmado el tratado de Schengen. Ese tratado infame que impone a cada país que da un visado compartir las consecuencias con los demás. Por eso se reunieron entre ellos y pusieron muchos impedimentos y obstáculos difíciles de superar. En defensa del impedimento común europeo. Los demás obtuvieron sus pasaportes sellados, pero yo me quedé esperando. Me asaltaron absurdas dudas sobre una orden proveniente de las alturas que prohibiera a los participantes en el Congreso Mundial Amazigh abandonar el territorio nacional. Pero se disiparon en cuanto apareció un elegante funcionario y, educadamente, me instó a que le siguiera. Caminé tras él hasta que se detuvo delante de una oficina, empujó la puerta y me invitó a pasar. Me encontré a don J. C. pasando las páginas de mi pasaporte y sonriendo. Nada más sentarme, me lo entregó diciéndome: «Te hemos dado un mes, pero no te preocupes». Me dijo que sólo quería conocerme y hablar un poco del Congreso Mundial Amazigh que se celebraría en las Islas Canarias. Nada más. Le dije que no sabía mucho del movimiento *amazigh* y que tan sólo quería cubrir la información. Luego, llevó la mano a uno de los cajones de su escritorio y sacó una guía que contenía los nombres de todos los periódicos que se publicaban en Marruecos. Y añadió sonriendo que el nombre del mío no venía mencionado. Le dije que era muy reciente y que por eso no estaba incluido en aquella guía publicada hacía por lo menos un año. Para calmar su desconfianza le entregué el primer número y luego el segundo y el tercero. Y me dijo riendo: «Vale, ya vale».

Suspiré profundamente y me dije a mí mismo que si me hubiera pedido el cuarto le habría tenido que decir que estaba en prensa. Porque el número cuatro no existía. El periódico, supuestamente cultural, había dejado de publicarse unos meses antes de que llegara la invitación, al confundir el nombre bereber del periódico con una línea editorial pro *amazigh,* pues pensaron que *Awal (La palabra)* podía ser una publicación de corte *amazigh.* La invitación llegó como fruto de esta confusión. Y yo la acepté consciente de ella y cultivándola.

Así terminó el encuentro, y salí del consulado con un interrogante rondándome por la cabeza: ¿Y ahora, qué? Sólo tenía dinero para el billete de ida a España. Contaba con algunos preciados dólares que debían llegarme de revistas del Golfo y Oriente

Medio por unas traducciones mediocres sobre la vida secreta de Rimbaud y Paul Verlaine, y de algunos poemas cuyos títulos ahora no recuerdo. Pero los cheques se habían retrasado, y no tuve más remedio que pedir dinero prestado a los amigos. Por suerte, además de mis amigos intelectuales, tenía otros a los que no les gustaba la poesía y cuya foto no saldría en ningún periódico. Pero con los que puedes contar más que con cualquier intelectual. Cuando recibí los préstamos hice la maleta y me fui aquel jueves temprano. Naturalmente ni fui a las Islas Canarias, ni asistí a las sesiones del Congreso Amazigh. El dinero que tenía solo me daba para hacer el viaje en una dirección. Por lo que me compré un billete de ida a Alicante, conocida ciudad turística del Levante. Luego, estando en París hospedado con los respetables ladrones, leí en *Le Monde* una noticia breve que decía que el Congreso había terminado con muchas disputas y divergencias acerca de la elección del nuevo presidente. El sueño bereber de un mapa imaginario al que conducir sus rebaños de cabras y pastorearlos se desvanecía sin que nadie lo dirigiera.

Me dije a mí mismo que había hecho muy bien en no ir a las Islas Canarias a pesar de la cálida insistencia de don J. C. en que las visitara, asegurándome que era una buena ocasión para ir de compras, porque allí los productos se venden libres de impuestos. Seguro que don J. C. ni se imaginaba que yo no iba a esas islas suyas a hacer turismo. Pero tal vez conocía bien a los periodistas y sabía que se pelean por recibir una invitación para un lugar paradisíaco como las Canarias. Al terminar las sesiones, todos se van de compras, y al final regresan, además de con sus impresiones sobre el congreso con muchas otras cosas. Puede que ni yo supiera por qué había hecho apresuradamente la maleta y me había despedido de mi familia tan aprisa para encontrarme así en la otra orilla del mundo. Europa es, en efecto, la otra orilla del mundo. Nada más cruzar el Estrecho tienes la sensación de que has dejado un mundo y has entrado en otra época. Con otra gente, otras aspiraciones, con problemas completamente distintos y, a veces, extraños. Para empezar, te da un poco de vértigo, como cuando te pones de pie de repente después de haber estado sentado mucho tiempo, al cambiar los dirhams a la moneda del país. Cuanto más quieres avanzar en tu exilio, más necesario es que cambies tu pequeña fortuna. Al cambiar mis dirhams a pesetas me sentí deprimido. Y cuando cambié pesetas a francos franceses estuve a punto de llorar. El empleado del banco en Andorra me dio dos billetes a cambio de todos los que llevaba, que yo creía una fortuna. Pero aquella ridícula fortuna mía no valía en realidad más que para tomarse dos o tres cafés en la terraza de una de las cafeterías de Châtelet-Les Halles. París es realmente terrible. Si no tienes lo suficiente para cubrir tus necesidades, te conviertes rápido en un *clochard* perdido entre las estaciones del metro. Nadie más que la policía se interesará por ti. O, mejor dicho, lo harán también sus perros espantosos, que tienen una vieja y extraña historia con el olor a árabe.

Cuando entré en este continente frío, no sabía exactamente qué quería hacer. Ni dónde me podía establecer. Por eso dejé que mi destino me guiara, como un barco de papel abandonado en un pequeño arroyo, sin rumbo. A ver si al final del túnel aparecía un puerto. Siempre pensé así. Había que dejar que las cosas fluyeran. Porque en medio del desorden y el sentimiento de dispersión, en algún lugar hay un camino oculto en cuyo interior se ordenan las dificultades poniendo rumbo hacia la solución. Aunque parezca que este camino es lento, seguro que termina en algún lugar.

Así pude liberarme de las fantasías del intelectual que estuvo a punto de habitar en mí. Ni la poesía ni los cuentos pudieron quedarse a mi lado. Sólo los músculos me servían en la impresionante inmensidad de los campos, frente al peso matinal de las cajas o frente a la resistencia de la hormigonera oxidada.

Así también conocí de cerca muchos tipos humanos en distintos países. Inmigrantes sin papeles, como yo. Ladrones que robaban por principios nobles de los que a veces era difícil no estar convencido. Contrabandistas que conducían coches vacíos desde Italia y España a Marruecos, con contratos de venta falsificados y, normalmente, con un conductor europeo. Granujas especializados en casarse con divorciadas a las que se les podía sacar una pequeña fortuna al divorciarse de ellas. Falsificadores de pasaportes y carnés de conducir. Vendedores de tarjetas de crédito sustraídas de los bolsillos de los ingleses borrachos al final de la noche. Machos que ofrecen sus servicios sexuales a cambio de precios moderados a viejos y viejas. Vendedores de papelas de cocaína. Gente que se busca la vida de acuerdo con sus dones naturales. Hasta tal punto, que se ha hecho difícil ser árabe en Europa sin dar la impresión de que eres uno de esos. Pero establecerte aquí sin papeles implica que con el tiempo eres candidato a convertirte en un pícaro. Porque estarás privado de trabajo y residencia y, por tanto, de ciudadanía. No tendrás nada garantizado. No tienes derecho a presentar una queja contra quien te explote, robe o engañe. Porque eres un ilegal. Tu clandestinidad ha de ser total hasta que en la Oficina de Extranjería tomen la decisión de hacer de ti un ciudadano público. Con un carné que lleve tu foto, tu huella, y tu número de la Seguridad Social para poder visitar al médico si sobrevives a las condiciones climáticas y no te extingues como un animal prehistórico.

La semana pasada, en Milán, encontraron a unos argelinos en un coche. Quiero decir que encontraron sus cuerpos. Recuerdo ahora una clase de Historia sobre la conquista de Alándalus en la escuela primaria. Me sorprendía cómo pudo Táriq Ibn Ziyad, un bereber, dicho sea de paso, quemar los barcos para que nadie pudiese regresar a Marruecos, diciendo a sus ejércitos que en esta península estaban más perdidos que los huérfanos en un banquete de avaros. Lo extraño de aquella clase de Historia es que sólo se hablaba de Táriq en el momento de la conquista, pero no sabemos qué le ocurrió a aquel caudillo bereber después. La historia es a veces ridícula. Ahora también entiendo por qué, en cuanto se distinguen las luces de Andalucía, los inmigrantes queman sus papeles y los arrojan al mar. Lo hacen para que nadie vuelva con vida a la otra orilla. La muerte o el botín. Quemar los pasaportes es bastante similar a quemar el barco de vuelta. Parece que esa lección de la Historia seguirá repitiéndose trágicamente a lo largo de los siglos. Pero lo realmente ridículo de toda esta historia es que aquí no hay botín alguno. Para vivir aquí tienes que trabajar como una mula. Tampoco existen tesoros escondidos en ningún lugar de la Península. Al menos eso es lo que yo he podido ver en mis vagabundeos. Sin embargo, hay huertas de naranjos y tomates, y plantaciones de cerezos, almendros y olivos donde es imposible trabajar sin envejecer años de golpe. Por eso algunos periodistas se quejan de que los jóvenes españoles no quieren trabajar en el campo y prefieren trabajos menos penosos. Si te piden los papeles, basta con abrir la palma de la mano delante de la policía, para que sepan que te ganas el sustento en el campo y te dejen seguir tu camino. En esta península los dedos agrietados les sirven a los inmigrantes árabes de carné de identidad, mejor que esos otros azules casi imposibles de conseguir que te otorgan el derecho a trabajar y residir, escritos con una tinta barata con la que cualquier chiquillo podría hacer perrerías.

Este libro,
decimotercero de la colección
memorias del mediterráneo,
acabose de imprimir en Sevilla
el 15 de mayo de 2002,
aniversario del nacimiento
de Alejandro Sawa.